CUISINE BOURGEOISE

DU MÊME AUTEUR AUX ÉDITIONS ACTES SUD

Les Brumes de San Francisco, roman, 1985.
Le Mors aux dents, roman, 1985.
Le Fond des ormes, roman, 1986.

Illustration de couverture :
détail d'un dessin imprimé dans
Evian-Cachat (1914)

VLADIMIR POZNER

CUISINE BOURGEOISE

roman

ACTES
HUBERT
NYSSEN
EDITEUR SUD

*C'est, dit Panurge, bien
chié pour l'argent !*

Rabelais, *Pantagruel*, IV, 8.

*Le cœur et la caisse sont
toujours en rapports exacts et définis.*

Balzac, *Béatrix*.

On était en 1931. L'économie américaine s'était écroulée, et l'Europe avait suivi son exemple, la France autant que les autres.

N'empêche que, toutes les fins de mois, Roger, le garçon de courses, allait porter à Mme Androuet dix mille francs pour ses dépenses. Au préalable, il passait à la banque Isnard et s'y faisait remettre des billets neufs qu'il entourait d'un élastique : une fois déjà, Mme Androuet en avait renvoyé un marqué d'un trou d'aiguille.

M. Huchet, directeur de l'établissement, prétendit un jour que Roger était malade et chargea Vaillant de le remplacer. Le nouvel employé n'avait pas encore rencontré Mme Androuet : elle ne fréquentait pas le bureau, et lui n'avait pas assisté au dîner annuel auquel la grande patronne conviait famille et personnel à l'occasion de son anniversaire, sous condition que ce ne soit pas un jour de travail, donc le dimanche le plus proche. Tout ce qu'il savait d'elle, c'était par les potins du bureau, et l'on y potinait ferme. Mme Androuet était riche à millions, disait Huchet, grande dame, renchérissait Boulet, le placier. Le comptable, la sténo en restaient aux conjectures. Roger était la grande source de renseignements : du temps de feu M. Androuet, il avait exercé les fonctions de maître d'hôtel ; c'est encore lui, qui servait à table au dîner annuel. Mais Roger n'aimait pas raconter, préférant se souvenir. Ses réminiscences dataient d'avant-guerre, du vivant de M. Androuet.

La sténo, Germaine, elle-même ne pouvait rien en tirer. Quant à Vaillant, il n'était bavard que la nuit, seul dans son lit, avec soi pour interlocuteur. Il affectait de taxer d'indifférence ce qui n'était de sa part que timidité.

Il se figura une Mme Androuet à la mesure de sa désapprobation, tout comme il avait fait pour sa fille, Mme Lacassagne, la gérante : "Jamais travaillé, celle-là, se borne à toucher l'argent à domicile." L'une comme l'autre n'étaient que le prolongement du bureau, source et embouchure d'un flot de paperasserie converti en billets de banque.

Le caissier de la banque Isnard lui compta dix coupures neuves que Vaillant, suivant les instructions de Roger, vérifia à la lumière : elles étaient vierges. Un autobus l'amena dans le Marais.

— Au premier, dit la concierge, et elle l'examina avec mépris lorsqu'il demanda si c'était la porte de droite ou de gauche. Dans la maison, il n'y avait qu'un appartement par étage et si Vaillant n'avait pas porté son feutre elle lui aurait fait prendre l'escalier de service.

Les marches en bois étaient recouvertes d'un tapis rouge à ramages verts et bleus. La minuterie avait été récemment installée, et les ampoules électriques voisinaient avec les becs de gaz imprégnés de suie et de poussière. Mais aux portes de chêne, les sonnettes n'avaient pas remplacé les cordelières effilochées. Vaillant tira sur le gland.

La pénombre faisait apparaître l'entrée encore plus vaste qu'elle ne l'était. Le salon était à peine plus clair, le jour chétif des premiers étages du Marais s'épuisait entre les fenêtres et les draperies ; seules, les mouches collées aux vitres avaient droit à un peu de lumière. La bonne n'avait pas éclairé le salon, et Vaillant, bien que vexé par ce manque de considération, n'osa pas s'en charger. Debout, il examina la pièce.

Seuls subsistaient de sinueux passages entre les meubles, des interstices aux murs, des lambeaux de plafond libres de pâtisserie. Le reste était mobilier. Amassé pendant des années, en fonction d'une fortune qu'on devinait de plus en plus solide de bilan en bilan, il encombrait les lieux, compact comme du linge dans une malle. De leur destination première, les meubles n'avaient rien conservé : c'étaient des surfaces vouées à supporter d'autres surfaces. Dénués de toute utilité, nuisibles même, ils avaient fini par prendre l'espace de leur maître et interdisaient toute présence humaine si elle ne s'accompagnait de plumeau ou de chiffon. La pénombre achevait de souder cette tumeur de garde-meubles qui resterait là jusqu'au moment de s'en aller peser sur la nouvelle génération d'héritiers. Bien fait pour Mme Lacassagne, pensa Vaillant.

Il était toujours debout, songeant à ce qu'a d'arbitraire la division des biens en meubles et immeubles. Les Américains arrivent à déplacer des maisons entières. Il s'approcha de la fenêtre et, voulant éviter un guéridon, saisit un rideau. Une mite s'en échappa, voltigea, d'une vivacité insolite. Machinalement, Vaillant essaya de l'écraser au vol, la manqua, se ravisa. Alliée, alliée. Le mobilier était moins éternel qu'il n'en avait l'air. Le jeune homme se plut à imaginer le pullulement des vers dans les bois. Un peu lent quand même.

Mme Androuet était entrée sans qu'il s'en aperçoive. Le manque de lumière cachait les accidents d'épiderme, faisait ressortir le noir des yeux encore brillants, la robe de soie savamment démodée ; la maîtresse de maison avait de ces façons de dire : "Je suis une vieille femme", qui appelaient des protestations.

Et c'est la mère de Mme Lacassagne ! pensa Vaillant, étonné.

Elle l'examinait avec un sourire bienveillant. Dans ce salon familier, il était jeune et troublé : un moment d'illusions n'était pas sans douceur.

— Vous venez de la part de Huchet, dit-elle en souriant toujours.

— Roger est malade, expliqua Vaillant, je viens à sa place.

Elle l'interrompit :

— Vous vous appelez ?

— Vaillant.

— Vaillant, Vaillant. Ce nom me rappelle quelque chose.

— Je n'ai pas de famille, s'empressa-t-il de répondre, et son visage s'assombrit.

Mais elle continuait à sourire et, comme pour mieux l'inviter à la complicité :

— Ça ne doit pas être commode de travailler avec Huchet.

Pas bête, la vieille, pensa Vaillant sur ses gardes. Il ne répondit pas, sortit de la poche la liasse de billets, la tendit.

Mme Androuet la prit, alla vers la fenêtre et, enlevant l'élastique, examina chaque feuillet à la lumière.

Exactement comme Roger avait dit, pensa Vaillant. L'aboutissement d'un mois de travail de tout un bureau : une vieille femme qui n'a jamais rien foutu dans la vie et qui cherche des trous d'épingle pour me forcer de retourner à la banque. Cherche toujours, ma vieille, j'ai regardé avant toi. Il essayait de se monter sans y parvenir pour de bon : entre la colère de tout à l'heure et son irritation d'à présent, s'était glissé le sourire de jeune fille de la grande patronne tel que l'ombre l'avait modelé.

Il pouvait cependant l'examiner mieux maintenant qu'oublieuse des illusions à entretenir, elle s'exposait au jour. Fier de ses bons yeux, Vaillant aimait à s'énumérer les détails qu'ils lui communiquaient. Des taches de rousseur, taches de vieillesse aux mains et au-dessous des paupières, des poils au menton, des rides qui ne tiennent ni au rire, ni à l'émotion, mais à l'usure et là, au menton, une verrue, épilée sans doute.

Le 14 juillet 1889, le ministre des Travaux publics s'était rendu au bourg de Mainmorte, dans les Basses-Alpes, où en présence du préfet, du sous-préfet et du maire, il avait inauguré un monument à l'occasion du centenaire de la Révolution. Quelques mois auparavant, la France avait rompu les relations commerciales avec l'Italie ; Mainmorte étant située à moins de cent kilomètres de la frontière, le discours du ministre comportait des sous-entendus politiques et fut même cité dans les journaux de Paris. Le préfet, par la suite, assura le gouvernement de l'attachement indéfectible du peuple des Basses-Alpes, et le maire en fit autant au nom des Morte-manais dont il retraça l'histoire depuis le duc Antoine Ier de Mainmorte, croisé et pendant vingt ans captif des Sarrasins qu'il avait quittés moyennant rançon en ramenant chez lui un harem et qui eût été excommunié s'il n'avait annoncé la conversion au catholicisme des demoiselles sarrasines : l'Eglise ne pouvait être que sensible à l'hommage collectif de ces jeunes beautés. Ce haut fait de prosélytisme fut perpétué dans les poèmes des trouvères et, à Mainmorte même, par les chevelures d'ébène et les yeux humides et fendus en amande que les filles s'étaient transmis de génération en génération, jusqu'à la Troisième République.

Le maire, dont le discours, rédigé trois mois à l'avance par l'instituteur, était d'une haute portée civique, ne mentionna pas ces détails frivoles, mais il en fut question lors du banquet qui suivit l'inauguration. Les jeunes attachés taquinèrent un de leurs camarades, Victorien Androuet, qui avait passé la journée à se bourrer de gâteaux insipides chez l'un des deux boulangers du bourg, celui dont la fille avait hérité cette chevelure luxuriante et ces regards mouillés qui faisaient l'orgueil et la gloire des Mortemanaises.

— La boulangère a des écus, fredonna Maximilien, lui aussi attaché, qui devait avoir son heure de célébrité lors du premier procès du capitaine Dreyfus. Et, abandonnant cet air pour celui de la capucine, il improvisa : Dansons la boulangère.

Victorien rougit, et Son Excellence elle-même ne put s'empêcher de sourire tout en adressant à Maximilien un regard réprobateur : on ne pouvait admettre cette allusion publique au général Boulanger qui, quelques mois plus tôt, avait fui en Belgique, mais n'avait pas encore commis le suicide sur la tombe de sa bien-aimée. Le maire se dressait justement pour porter un toast à la santé de la France et du ministre, qui leva son verre à celle de la République et de ses fils dont les vertus démocratiques formaient un barrage infranchissable à toute atteinte, en particulier à toute tentative de pouvoir personnel.

Le maire, à qui ces jeux parisiens avaient échappé, profita du silence pour demander à Son Excellence de bien vouloir retarder son départ de vingt-quatre heures : le lendemain, le 15 juillet, se tenait la foire semi-annuelle de Mainmorte, doublée des comices agricoles. Le ministre se récusa, sous prétexte d'affaires d'Etat ; le préfet, pressenti à son tour, en fit autant ; le sous-préfet accepta, sous réserve d'une communication de la plus haute importance qui allait lui permettre de se faire

remplacer par son secrétaire. La caravane ministé-
rielle quitta Mainmorte sous les acclamations des
habitants. C'est en arrivant à Digne qu'on s'aperçut
de l'absence de Victorien Androuet. Maximilien ré-
suma la situation.

— Il n'y a pas de main morte, dit-il au milieu des
rires, et, à l'exemple du train, la conversation quitta
le département des Basses-Alpes.

Le lendemain matin, les paysans de la région qui
ne s'étaient pas dérangés pour voir un ministre arrivèrent à Mainmorte avec leurs bestiaux. Deux singu-
larités les y attendaient : un petit buste de Marianne
monté sur un socle de pierre où l'on pouvait lire : "A
la gloire de la Révolution française, 1789-1889", et
un jeune étranger vêtu à la mode des villes.

Victorien était demeuré au bourg, mortellement
atteint par la beauté mauresque de Tine qui venait
d'avoir dix-huit ans. Elle l'aperçut à plusieurs re-
prises qui faisait mine de contempler, à travers les
petits carreaux poussiéreux de la boulangerie, les
boules et les couronnes enfarinées. Dans la journée, elle avait trop à faire : les jours de foire, l'af-
flux des clients était tel que toute la famille, parents
et alliés, et même les enfants, venaient donner un
coup de main. Mais le soir, il y eut bal, et Tine s'y
rendit avec préméditation. Six semaines plus tard,
Victorien, qui pourtant n'avait pas encore dépassé
l'âge des sommations respectueuses, quittait Mainmorte avec la beauté sarrasine, enceinte tout bien
tout honneur.

Amicie était du voyage. La sœur cadette de Tine
n'en avait pas le charme ni l'autorité : déjà l-
orsqu'elles allaient à l'école, c'est elle qui portait les
deux cartables ; elle devait passer sa vie dans
l'ombre de son aînée, à Paris comme à Mainmorte.

Plongée dans l'examen des billets dont elle sentait
l'épaisseur entre les doigts, Mme Androuet observait

le jour à travers le papier, plus transparent à l'endroit où s'ondulait le filigrane. Elle les prenait à tour de rôle, les levait à la hauteur des yeux, la tête légèrement renversée, et Vaillant voyait un carré d'ombre se poser sur le visage de la vieille femme. Derrière cet écran, elle se sentait en sécurité. C'était tout ce qui lui restait de Victorien, qui avait imaginé de lui apporter tous les mois un billet pour ses dépenses. Ils jouaient ensemble à s'assurer que le billet était neuf : il ne devait pas y avoir le moindre trou d'épingle, et il n'y en avait jamais. La première fois, elle qui n'avait jamais vu de billet de mille francs avant son mariage, s'en fit un masque, offrant à Victorien ses lèvres que la vignette avait laissées à découvert. Il l'avait embrassée, amoureux comme il devait le rester toute sa vie.

— Tine, avait-il dit.

Elle avait ramassé le billet roulé en boule sous la coiffeuse où il avait glissé. Elle l'avait défroissé, et depuis, tous les mois, ils recommencèrent le ma-nège. Les premières années de son mariage, Tine, lorsque quelqu'un en sa présence mentionnait le billet de mille francs, ne pouvait s'empêcher de rougir, et par la suite, beaucoup plus tard, Victorien, toujours amoureux, mais vieillissant – et de mon temps, on n'allait pas consulter des médecins sur des questions pareilles, se disait Mme Androuet, souriant et pensant à Irma, sa fille –, ne pouvait plus se passer de ce masque carré au-dessus de la bouche de Tine, du froissement, du plouf ! que la boule de papier faisait en rebondissant par terre.

Lui mort, sa veuve se fit porter l'argent par le garçon de bureau, mille d'abord, puis deux mille, cinq mille et, depuis la dévaluation de Poincaré, dix mille. La première fois que, seule, elle se livra aux gestes, désormais vides de sens, de l'inspection du billet, fut aussi la dernière où elle éprouva du plaisir, comme si Victorien fût encore là, en elle. A présent, il n'en subsistait qu'un fourmillement dans l'échine, un serrement de cœur dont elle n'était même plus consciente. Jamais elle n'avait pu s'habituer aux chèques.

Sur l'annulaire, elle portait deux alliances, la sienne et celle de feu son mari. Elle tournait le dixième billet entre les doigts, ne se décidant pas à s'en séparer. Cette fois-ci, le souvenir de Victorien était plus vif, plus aigu le picotement dans le creux du dos. Un instant, elle se laissa aller, comme le font les vieilles gens. Pourtant elle éprouvait de la gêne. Se retournant, elle aperçut Vaillant qui l'observait. Il rougit d'avoir été surpris ; à force de se savoir rouge, il s'empourpra. Mme Androuet se méprit sur le sens de sa confusion et se sentit embarrassée, mais les souvenirs la tenaient encore, elle sut gré à Vaillant d'être homme, jeune et présent. Je suis sûre, se dit-elle, qu'il sera de mon côté lorsqu'il saura tout. Mais il ne fallait pas brusquer les choses. Je pourrai le revoir quand je voudrai. Elle ramassa les billets, en fit un petit tas où disparurent Tine et Victorien, les enchaîna avec l'élastique et dit d'une voix dont les vibrations retardaient de quarante ans sur la banalité des paroles :

— C'est très aimable à vous, cher monsieur. Merci beaucoup.

Elle lui tendit la main, dos en l'air, comme à baiser – ses gestes, eux aussi, remontaient au passé –, se reprit à temps et la fit pivoter à droite, offrant les doigts et soulevant le pouce.

Vaillant sortit. Dans l'antichambre, il faisait nuit, et les draperies posées sur la porte du palier comme sur les autres lui firent tourner de fausses poignées. Il crut reconnaître la bonne au bruit d'une clé qui tournait dans la serrure. Il faillit se heurter à quelqu'un dont d'instinct il se rendit compte que c'était une femme. Mme Lacassagne, peut-être, eut-il le temps de penser lorsqu'une voix dit :

— Pardon.

Un interrupteur cliqueta, des appliques s'allumèrent aux murs, répandant des lueurs jaunes. Le temps de s'y habituer, Vaillant aperçut une jeune fille et, posé sur le front, au milieu du chapeau, un papillon de tulle blanc. Elle tourna la tête pour le regarder, le papillon palpita, et il la reconnut.

Ses yeux n'avaient plus la même qualité d'angoisse, son sourire qui, à présent, laissait apparaître les dents, était plus frivole, on eût dit qu'elle avait perdu en profondeur ce qu'elle avait gagné en courbures. Il lui en voulut aussi de porter un tailleur, comme tout le monde, mais le papillon qui frémissait à son front la rachetait. Ce premier moment pendant lequel il confronta ses souvenirs d'enfance avec la réalité ne dura guère et, pour son malheur, il l'oublia aussitôt. Elle le regarda, alla vers lui, dit :

— Eric.

— Ginette, dit-il.

Sa voix était la même, et maintenant que le passé était sur le point de se retirer, il la voyait autrement. Tout ce qu'il y avait eu d'anguleux en elle, ses coudes, sa démarche, son cou, sa maladresse, s'était arrondi, ses yeux voyaient droit devant elle, ses mains qu'elle avait posées sur les siennes n'étaient plus froides. Déjà, confondant le témoignage de ses sens avec un ancien pressentiment, il se disait que c'est ainsi que Ginette aurait dû devenir. Comme une carte dont les blancs deviennent peu à peu des montagnes, fleuves et forêts.

— Comme une vieille carte, dit-il.

Elle sourit sans répondre, et il crut qu'elle avait compris. Elle comprenait toujours à mi-mot : en cela, au moins, elle n'avait pas changé.

— Qui ? quoi ? où ? pourquoi ? comment ? demanda-t-il.

Puis, avisant la question la plus naturelle :

— Et qu'est-ce que tu fais ici ?

— Ici ? Mais j'y suis presque chez moi. Qu'est-ce que tu fais ici, toi ?

— Je suis venu pour affaires.

— Pour affaires ? Avec qui ? Avec Tine ?

— Qui est Tine ? Attends, dis-moi d'abord, comment t'appelles-tu ?

— Voilà que ça le reprend, fit-elle avec une gravité comique. Et, se ployant avec une révérence : Permettez-moi de me présenter. Ginette Lacassagne, petite-fille de la maîtresse de céans.

— Comment, tu es, vous êtes la petite-fille ?

— Voilà qu'il me dit vous maintenant.

Il avait fait davantage, il s'était retiré d'un pas, tâchant de comprendre. Petite-fille de Mme Androuet, donc fille de Mme Lacassagne. Du reste, Ginette Lacassagne : elle l'avait avoué elle-même. Il s'en voulait de n'avoir pas su détester d'instinct, au premier regard, sans regarder. Je me laisse toujours prendre, pensa-t-il, et il se traita de femmelette, d'andouille, et même, il ne savait pourquoi, de joli cœur. La rage l'envahissait. Il résolut d'être grossier, puis d'être diplomate, puis grossier de nouveau.

— Excusez-moi, dit-il, mais je dois partir. Vous me permettez de descendre par le grand escalier ou dois-je passer par l'escalier de service ?

Mais Ginette ne bougeait pas.

— Qu'est-ce qui te prend ? dit-elle.

— Il me prend, dit Eric, qui regretta aussitôt de répéter une phrase qui le tutoyait, que j'ai l'honneur d'être employé au bureau de madame votre mère. Le garçon de courses est malade, et c'est moi qui le remplace. J'ai apporté du pognon à madame votre grand-mère. On m'a fait confiance, Dieu sait pourquoi.

Il sentait qu'il exagérait, mais il n'arrivait pas à

trouver le ton juste : il lui était difficile de renoncer à Ginette.

— Tu travailles au bureau, dit-elle, et puis ? Qu'est-ce que tu veux que ça me fiche ?

Eric lui en voulut de l'imiter en côtoyant l'argot.

— Ça ne vous fiche rien, dit-il, il s'agit bien de vous. Mais moi je pars.

— Sans te retourner ?

— Sans te retourner, répéta-t-il d'une façon machinale. Ah, merde !

Ginette sourit. Elle comprend tout, songea confusément Eric. Elle avança d'un pas et, le frôlant de son papillon de tulle, l'embrassa sur le bout des lèvres.

— Tu as toute la vie devant toi pour me traiter de putain, dit-elle, mais en attendant, raconte-moi un peu ce que tu deviens.

Eric se retrouva dans le salon, assis cette fois, avec Ginette à ses côtés. Et puis tant pis, se dit-il. Je manquerai au bureau. Il eut au moins cette satisfaction d'amour-propre, la balance était rétablie. A nous deux, pensa encore Eric, à nous deux, Mlle Lacassagne.

— Ce salon, dit-il.

Dans l'ombre épaisse, les meubles ne faisaient plus qu'un.

— Oui, n'est-ce pas ?

Ginette passa les doigts sur le cou, la tête, le bec du cygne qui servait d'appui au fauteuil à sa droite. Mon jardin zoologique, ma Grèce, pensa-t-elle avant de demander :

— Alors, que deviens-tu ?

Lui dire la vérité pour l'épater, songea Eric qui était à l'âge le plus naïvement calculateur.

— Je rage, répondit-il enfin.

— Contre moi ?

— D'une manière générale. Je rage sans discontinuer. La rage c'est ce que j'aime le plus en moi.

C'est mon droit d'entrée dans la vie. Je lis les affiches qui prônent le divorce, les appartements et la paix mondiale à crédit, et je rage. J'écoute mes patrons exalter les vertus du président du Conseil et de la cuisine bourgeoise, et je rage, je rage, je rage.

Ginette pensa à Claude : que dirait-il s'il entendait ces phrases ? Eric s'était tu, jamais encore il n'avait parlé de lui-même sur ce ton-là, et les paroles qui, dans ses monologues nocturnes, lui avaient semblé de feu, sonnaient faux. Il se traita de boîte à citations. Orateur, va, exorde, péroraison, et cætera.

— Oui ? fit Ginette.

Déjà, il avait changé de vocabulaire.

— Actuellement, dit-il, j'en suis aux artichauts. C'est un aliment qui, pris avec beaucoup de pain, est très nutritif, d'un goût agréable et qui fait diversion dans ma cuisine. Oh ! sans aucun romantisme ! J'absorbe tant de calories par jour. Que mes études servent du moins à quelque chose. Maximum de calories et minimum de dépenses. Le vingt-huit de chaque mois, il me reste entre dix et vingt francs, et vive février !

Il ne poursuivit pas cet air, un de ses favoris.

— Du reste, le moyen de mettre de côté lorsqu'on touche en tout et pour tout huit cents francs. Cent quatre-vingts francs de loyer, quatre cent cinquante francs de nourriture par mois, cinquante francs de cigarettes et cent francs pour les autres dépenses.

— Huit cents francs, dit Ginette, malgré elle. C'était un cas type, et ce cas, c'était Eric. De nouveau, elle songea à Claude.

— Tous les deux ans une paire de chaussures, poursuivait le garçon. J'ai pour l'hiver des gants en filoselle et un gilet tricoté. Je ne suis pas particulièrement élégant, Ginette. Jamais je n'ai eu deux accessoires d'habillement neufs en même temps.

Lorsque je renouvelle mes souliers, mon chapeau tombe en loques. Je porterais volontiers casquette, mais cela serait mal vu au bureau. Déjà, le directeur m'a dit : "Ne croyez-vous pas, Vaillant, qu'il serait temps, hum ! oui, votre veston ?"

Il sentit la main de Ginette se poser sur la sienne, elle commençait à l'admirer. Il crut qu'elle le plaignait. C'est comme ça, eh bien ! tu vas voir. Des détails, une ironie froide et la suite.

— Mon veston brille tellement qu'on dirait qu'il dégage une lueur phosphorescente, je mets pour travailler des fourreaux de lustrine, et pourtant les manches s'effilochent. Le fond du pantalon est rapiécé avec les restes du gilet et les boutons se détachent. J'achète du gros fil et je les recouds le soir avec soin ; au bout d'une semaine, ils s'en vont accompagnés de l'étoffe. Ces boutons se prennent pour des boutonnières.

Il ne parlait plus de lui-même, il décrivait quiconque.

— Je m'acharne, j'asperge les taches d'essence, je frotte, je brosse, mais on ne combat pas la décomposition : même les mites sont mortes d'inanition chez moi, ajouta-t-il, se rappelant les insectes repus du salon. Je passe mes bottines à l'encre, je lessive mes cols, mais je n'ai pas à me plaindre. Après tout, c'est la crise, le krach de la Bourse de New York, les soupes populaires. Moi, je n'ai pas à ouvrir les portières des autos, ni à confectionner des galettes avec des pelures de pommes de terre et du marc de café ramassé dans les poubelles.

Il s'interrompit, conscient d'avoir exagéré de nouveau. Ces emprunts aux monologues nocturnes ne lui réussissaient pas : il haïssait l'emphase, mais n'avait que son oreille pour la déceler. D'où un renouveau de colère.

— Je n'envie pas davantage mes patrons que les hommes des affiches et des actualités avec leurs catarrhes et leur impuissance sexuelle. Pas même leurs enfants chauves et rhumatisants. Je me porte bien. "Jamais mouru, jamais malade", comme disait le vendeur de bêtises de Cambrai dans mon enfance. Si je meurs, ce sera plutôt d'une balle au cœur que d'une pierre au rein. Et lorsque le comptable me dit : "Vous savez, Vaillant, hier Mme Androuet a offert à dîner aux X, oui, grosse fortune, foie gras au porto", je songe : Toi, mon vieux, rien à espérer, mais moi, je n'ai que vingt ans.

Il avait parlé, sur la fin, non pour Ginette mais pour ce garçon pauvre, courageux, qui à vingt ans avait déjà tant supporté et dont la vie ne faisait que commencer. C'est moi, songea-t-il avec joie, et j'ai tout à conquérir. Pauvre Ginette. De l'avoir tutoyée à part soi, il était à tu et à toi avec elle. Comme il a grandi, pensa-t-elle. Comme il est sûr de lui. Et, à moitié affirmative, à moitié incertaine, elle dit :

— Tu es heureux.

Il sourit sans répondre, s'en voulant malgré tout du tutoiement. Mieux valait marquer les distances.

— Je ne ferai jamais d'héritage, constata-t-il. Je n'épouserai pas une grosse dot. Ni ne m'enrichirai à la Bourse. Il y a une douce jouissance à songer que jamais je n'aurai d'auto ni d'abonnement à l'Opéra, aucun bien meuble ou immeuble, mais qu'un certain jour déjà historique – et il faut avoir l'esprit bien bas pour croire que j'y serai poussé par le désir de poser mes fesses sur le velours d'un premier rang d'orchestre – je vais, le cœur candide et le doigt ferme, appuyer sur la gâchette d'un fusil réquisitionné dans la caserne d'en face.

Il faisait noir dans le salon, les fenêtres s'éclairaient à intervalles réguliers des reflets d'une enseigne lumi-neuse. Le mobilier avait disparu. Seul, Eric avait rejoint la région des monologues nocturnes où aucune parole ne sonnait faux.

— Je suis contente de t'avoir retrouvé.

Ginette l'avait dit d'une voix si basse qu'elle s'intégra dans la solitude : il avait l'habitude, la nuit, de parler pour bien des personnages. Contente, elle l'était en effet, de penser que ce cas type, cette vue de l'esprit avait un nom, un nom à citer, à tutoyer – "un camarade d'enfance", expliquerait-elle à Claude. Elle ne songea point qu'elle était la grosse dot qu'Eric n'épouserait pas, elle était Ginette, même pas, elle était elle. Son amour des généralités s'arrêtait à sa propre personne : elle se connaissait si bien que toute interrogation qu'elle pouvait s'adresser contenait sa réponse. "Des boutons qui se prennent pour des boutonnières." Elle décida d'emmener Eric chez Claude.

L'enseigne lumineuse, invisible, respirait dehors, un bref reflet rouge frôlait les cristaux, les nacres, le visage d'Eric, celui de Ginette, son papillon de tulle. Comme le phare d'Ouessant, se souvint le garçon.

— Mon phare domestique, dit Ginette.

— Nous pensons au pas. Tu connais le phare d'Ouessant.

— Et celui d'Antibes.

Des soupçons le reprirent.

— Côte d'Azur, côte de riches, fit-il.

— Tu es bien naïf, mon pauvre Eric. Mon grand-père était riche, est-ce que j'y peux quelque chose ?

— Justement, tu n'y peux rien, dit-il, obstiné.

— Ça me laisse plus de temps pour réfléchir.

Elle citait Claude.

Sa main était douce, chaude, souple. On ne discute pas avec une main.

Huit cents francs, le prix d'une robe, pensa Ginette : elle glissa les doigts sur son tailleur.

— Je dois aller voir Tine, dit-elle. Elle doit se demander ce que je suis devenue.

— Tu pars ?

— Mais on se reverra.

Dans l'antichambre, il faillit se heurter à une petite

femme sèche, à chignon, couleur de mite, qui se fondait avec les draperies. C'était Amicie.

Deux mois plus tard, Eric revivait cette première visite chez Mme Androuet, et ses retrouvailles avec Ginette, pendant qu'il allait au mont-de-piété, comme il en avait l'habitude, cette fois-ci pour engager son stylo. Il aimait cet endroit aux murs nus, au carrelage crasseux, où des mutilés inscrivaient la misère humaine sur des fiches roses, jaunes ou grises selon la saison.

Il toucha vingt-cinq francs et se retira. Il connaissait rue Saint-André-des-Arts un magasin où cette somme permettait de louer un smoking. Lundi il irait le rendre et dégager son stylo. Il devait se faire beau pour ce soir, propre, bien rasé, bien coiffé, bien armé. Surtout ne pas venir trop tôt au fameux dîner. Ginette avait dit qu'elle n'arriverait pas avant huit heures et demie et il ne voulait parler à personne avant de l'avoir revue.

Il songeait à l'apparition de Ginette, la première depuis leur enfance. La petite avait fréquenté les cours de Mme Vaillant. La mère d'Eric avec son chignon roux et ses robes noires menait fermement vers la puberté et un baccalauréat aléatoire des troupeaux de fillettes blêmes à qui elle interdisait de se tutoyer pour ne pas leur créer des obligations dans l'avenir : une familiarité de petites filles ne devait pas venir peser sur des rapports sociaux établis. C'était là, avec la solide connaissance du catéchisme et de la couture, le grand principe du cours Vaillant. A partir de la troisième, les professeurs interpellaient les élèves par leur nom de famille. Mlle Lacassagne ne surnagea qu'au bout de huit ans, sachant prier Dieu, conjuguer les verbes irréguliers et broder des dessus de cheminée, en un mot, prête à vivre sa vie.

Eric évoquait la sienne. Le fameux cours Vaillant

pour demoiselles de famille bourgeoise d'une fortune honorable avait fermé ses portes en raison d'un changement de mode. Contrairement à Ginette, Eric, garçon, avait fréquenté le lycée et passé le bac pour satisfaire l'amour-propre des parents. "Notre fils, disaient-ils, a été reçu troisième."

— J'ai échappé à Normale de peu, répétait-il.

Il revoyait les broderies anglaises de sa mère. L'ex-directrice de feu le Cours les plaçait chez d'anciennes amies : elle agissait soi-disant pour le compte d'une veuve de guerre dont le mari s'était conduit en héros ; l'amie devait comprendre la vérité et mépriser sans doute Mme Vaillant. Le père, jadis un excellent correcteur d'épreuves, se livrait à des travaux de copie, la tête plus lasse encore que les yeux. Le garçon se rappelait les costumes retournés, les robes dix fois retaillées et reteintes.

— Et tout cela, s'exclamait-il, pour faire figure. Figure de quoi ? De petits bourgeois. Quelle misère.

Autour d'une table recouverte d'un napperon élimé à grands ramages, Mme Vaillant brodait et à côté d'elle, pour économiser la lumière, le père était plongé dans ses écritures.

Eric s'interrompait de lire pour jeter :

— Tu sais, maman, j'ai rencontré aujourd'hui Jacques, le fils de Mme Anselme.

Mme Vaillant ployait l'échine, s'attendant au pire.

— Il m'a dit que tu étais venue vendre des dessus de table à sa mère qui est bien bonne de t'acheter des saloperies dont elle n'a que faire.

Madame la directrice s'absorbait davantage dans son travail. Le père levait la tête. Eric soutenait son regard. Il n'avait pas vu Jacques Anselme depuis six mois, mais son imagination était infaillible.

Puis Mme Vaillant veuve. Et enfin l'enterrement de Mme Vaillant ; pluie fine, maître de cérémonie grossier car il ne prévoit aucun pourboire, couronnes de faïence d'une mesquinerie à faire pleurer, et l'adolescent, condamné à subir les poignées de main de toutes les dames Anselme de la création, qui dissimulent mal le sourire de satisfaction que leur procure la conscience de se sentir bien en vie et l'aspergent de quelques gouttes de pitié réglementaires comme une formule de politesse au bas d'une lettre d'affaires.

Il liquidait. Tout. Les napperons, les dessus de cheminée, la pendule en bronze sur laquelle il avait appris à lire l'heure, deux vases en imitation de Sèvres, bref, le mobilier. Il gardait la machine à écrire de son père et quelques quittances du mont-de-piété où moisissaient depuis des années l'argenterie familiale et les maigres bijoux de sa mère ; tous les six mois il allait renouveler les récépissés : c'est mon compte en banque, se racontait-il, mon caveau de famille, jamais je ne dégagerai les nantissements, tel est mon devoir de fils.

Les souvenirs commençaient à lui peser. L'appartement vide, il le quitta sans regrets.

Il loua une petite pièce. Pauvre mais digne, se dit-il. On lui soumit un bail et il s'engagea à "habiter la maison bourgeoisement". Il n'avait donné à personne sa nouvelle adresse. Les lettres de condoléances avaient dû être retournées aux expéditeurs. Il ne portait pas de crêpe au bras ni n'acquérait du papier encadré de noir, trahissant ainsi dès le début ses engagements à l'égard du gérant.

Un lit, deux chaises, une table et un réchaud sur lequel il avait le droit de faire sa cuisine.

Il forma le projet d'obtenir du travail dans une usine, mais il s'aperçut aussitôt qu'il ne savait rien de rien : ni visser un boulon ni perforer une tôle d'acier. Horace et Hugo se révèlent également inefficaces, ce dont il s'était toujours douté. Il avait beaucoup lu. C'était tout : moins que rien. Les objets autres que les livres lui étaient étrangers, hostiles. Il décida de les apprivoiser. En attendant il fallait vivre. Il avait devant lui exactement deux mois pour trouver un gagne-pain, pain blanc ou noir, frais ou rassis.

Seul, donc adulte, donc libre. Il flânait dans Paris, s'arrêtant le soir sur les quais de la Seine où défilaient les cargos, et sur les ponts ferroviaires dominant un monde de rails et de sémaphores. De temps à autre, le sifflet d'un train en partance, poignant à hurler, perçait l'obscurité.

Un soir, une femme l'arrêta. C'était la première fois depuis la mort de sa mère que quelqu'un l'appelait :

— Mon chéri.

Honteux, il fuit.

Il s'arrêta trois cents mètres plus loin, près d'un réverbère. Devant lui une affiche étalait des couleurs détrempées. Il s'approcha. Il y avait une négresse à peine vêtue qui abreuvait un jeune soldat à dos de chameau, un fragment de forêt vierge, un bateau et les sables du désert, sous un ciel qui avait dû être bleu dans sa jeunesse. Et, en gros caractères : "Jeunes gens qui hésitez sur le choix d'une situation, allez aux colonies. Engagements, rengagements." Un sifflet de train lui parvint de loin. Il s'enfuit une deuxième fois.

Il vivait encore en fonction de ses souvenirs d'adolescence. Lorsqu'il se retrouva avec cinq francs en poche il se mit à songer, autrement que pour en ressentir de la honte, aux broderies de sa mère dont les plis de la jupe venaient à lui manquer si brusquement.

A la veille de l'échéance, il trouva sur un banc un journal du soir où il releva l'adresse de Veuves Androuet Lacassagne, société en quête d'un employé. Il s'y rendit le lendemain matin.

On le fit entrer chez le directeur.

C'était la première fois qu'il allait parler d'autre

chose que de sujets d'examen ou d'affaires de famille. Petit, trapu, la moustache rare et le sourcil fourni, le directeur l'abreuva de questions oiseuses :

— Ainsi donc vous avez lu notre annonce et vous venez chercher une place ?

— Oui, monsieur.

— Permettez-moi de vous demander si vous avez déjà travaillé ailleurs ?

— Non, monsieur.

— C'est dommage. Enfin, passons. N'est-il pas indiscret de vous demander votre nom ?

— Eric Vaillant.

— Ne seriez-vous pas apparenté à Alfred Vaillant, très honorablement connu sur la place ?

— Je n'ai pas de famille.

— Auriez-vous, si jeune, perdu vos parents ?

Le garçon allait se lever et partir. Mais l'autre devint éloquent. Il peignit Vaillant au sortir de l'enfance, faible et inexpérimenté, s'engageant dans une forêt d'embûches et de tentations. Il l'appela son "jeune ami". Il invoqua l'ombre de sa mère. Pour un peu, il l'aurait mis aux Enfants assistés.

Vaillant l'interrompit au milieu d'une phrase pour demander s'il avait une place pour lui. L'autre se tut, offrant à son regard une bouche bée où pendaient encore quelques majuscules interloquées. D'un geste mesuré, il ramena sur sa lèvre l'inspiration momentanément rebelle, redevint paternel et proposa un traitement de misère.

Le futur employé se rappela le regard méprisant du directeur d'un garage où il était allé se présenter un jour, l'affiche du ministère de la Guerre, son dernier billet de cinq francs, et accepta.

— Eh bien ! mon cher M. Vaillant, dit Huchet, à présent il s'agit de prouver que vous êtes vraiment vaillant.

C'est ainsi qu'Eric apprit que son interlocuteur aimait faire de l'esprit. Il eut la lâcheté de sourire de ce mot que son camarade de classe Anselme avait lancé en huitième. Il s'en voulait encore : sa première entrevue avec Huchet avait été plus banale qu'il ne se plaisait à l'imaginer.

On l'avait fait agréer par Mme Lacassagne, la gérante, et présenté à ses compagnons de bureau : le comptable, le vendeur, la dactylo, la machine à écrire. Il devait débuter le lendemain.

— Soyez là à neuf heures juste.

Il avait réglé sa montre sur la pendule d'entrée et s'était retiré. Il avait une position sociale.

Ce soir-là, on frappa à sa porte. Il se leva, regarda à la hauteur où il s'attendait à percevoir un visage, mais personne. Il baissa les yeux. Une réduction d'homme se tenait sur le seuil.

— J'entre, je referme la porte et je supprime le courant d'air, dit-il d'une voix de fausset, moqueuse et humble à la fois.

Il avança.

— Anxionnaz, annonça-t-il, et il inspecta la pièce, cherchant où déposer sa serviette. M. Huchet, poursuivit-il, qui est un homme fort remarquable et qui me fait l'honneur de me compter parmi ses amis, m'a chargé de venir vous voir. Alors, je prends le métro, je descends à la station indiquée et me voilà.

Vaillant se taisait.

— Je viens vous proposer une affaire.

— Je ne fais pas d'affaires.

— Mais si, mais si.

L'homme écarta l'objection d'une menotte sèche dont le poignet s'emboîtait dans une manchette empesée.

— Vous êtes jeune, très jeune. Je dis, vingt-deux ans.

Le garçon hocha la tête.

— Vous savez, j'ai l'habitude, dit l'autre en croisant ses bottines à boutons de nacre. Même avec les dames. Je continue. Vous n'avez pas de famille, n'est-ce pas ? Ni de fortune personnelle. Je tranche le mot : vous êtes pauvre, oh ! pour l'instant seulement, car je ne doute nullement de vos dons.

— Vous feriez mieux d'en douter, dit Vaillant, agacé. Je n'ai aucune disposition pour la richesse.

— M. Petit m'affirmait la même chose tant qu'il n'avait pas hérité de la brasserie de son oncle. Donc, je me résume : vous êtes jeune, pauvre et sans parents. Que diriez-vous si je vous suggérais une certaine aisance ?

— Elle est là-dedans ?

Et le garçon indiqua la serviette que le visiteur était en train d'ouvrir.

Anxionnaz hasarda un sourire, insinua :

— Il y a même plusieurs moyens que je pourrais vous indiquer. Aimez-vous la politique ? J'ai là une proposition qui émane en même temps de la gauche et de la droite.

— Vraiment ?

— Je viens vous offrir, de la part de la compagnie d'assurances le Conservateur, une police libérale.

Il rit : son calembour datait d'avant-guerre.

— Si vous préférez, je peux vous assurer un contrat avec l'Universelle, l'Urbaine, le Préservateur. Vous versez tant par an et au bout d'une trentaine d'années vous touchez la prime.

— Et si je meurs d'ici là ?

— Vos héritiers touchent à votre place. C'est très intéressant.

— Et si dans cinq ans je n'ai plus de quoi payer la prime ?

— On vous rembourse les sommes versées. Voyez-vous, vous ne mettez certainement rien de côté. Un beau jour, vous vous trouverez dans l'impossibilité de poursuivre votre travail. Un accident peut survenir, autre que la mort.

— Une amputation, par exemple ?

— Ou une maladie grave.

— Je regrette, impossible de vous rendre service.

— C'est parfait, je sors, je referme la porte et je descends l'escalier. Sept étages, entre parenthèses.

— J'ai de bonnes jambes.

Anxionnaz se leva : les fausses sorties faisaient partie de sa technique. Je l'ai chassé, pas convaincu, pensa Vaillant. Piqué, il demanda :

— Combien verse-t-on par an ?

— Comme vous êtes très jeune vous paierez très peu. Une bagatelle. Et notez que votre argent ne risque rien et vous rapporte six pour cent l'an. Un moment : j'ouvre ma serviette, je sors les tarifs et je vous donne le chiffre exact.

Vaillant l'interrompit :

— Il y a longtemps, cher monsieur, que vous vous occupez d'assurances ?

— Oh, oui.

— Depuis avant la guerre ?

— Bien avant.

— Vous avez dit qu'avec votre aide je serais riche dans trente ans.

— Exactement comme un héritage que vous recevriez de vous-même.

— Et si dans trente ans il n'y a plus rien ?

— Sans vouloir toucher aux problèmes apocalyptiques...

— Mais qui foutre vous parle d'apocalypse. Pas la fin du monde. Héritages, comptes en banque, assurance-vie. Fini, balayé. Voyez-vous, M. Anxionnaz, je suis convaincu qu'avant trente ans, nous aurons une révolution et, en homme prudent, je me vois obligé de décliner votre offre. Regardez autour de vous. Ça crève les yeux.

Le visiteur tourna la tête, mais les murs de la chambre étaient vides. Magnanime, son hôte le reconduisit jusqu'à la sortie, referma la porte, supprima le courant d'air. Le garçon l'imagina descendant l'escalier, drôle de collection de pièces rapportées montées sur une voix de fausset.

Bien que candide de nature, Vaillant avait l'esprit de se douter de son imprudence. Huchet saura tout, se dit-il. J'aurais dû mieux cacher mon jeu. Ses regrets portaient sur son manque de diplomatie. Il attachait du prix à rester maître de soi en toutes circonstances, être seul à tirer les fils, comme il savait si bien le faire enfermé dans sa chambre, mieux encore, avant de s'endormir, au lit. Il en était quitte pour retoucher les détails après coup. Cette nuit, il triompha à nouveau d'Anxionnaz, d'autant plus définitivement que l'agent d'assurances n'était plus là pour lui gâcher les répliques.

Il se dit en se réveillant : le bout d'homme venait de la part de Huchet, et va tout lui raconter. Mais le directeur ne le mentionna même pas.

L'affaire que M. Huchet avait l'honneur de diriger s'adonnait à une singulière besogne. Au départ, il y avait la Suède, la Norvège, la Finlande, des forêts de sapins, des chutes d'eau, des usines où les troncs d'arbres étaient équarris, sciés, broyés, lessivés, mélangés à des matières chimiques, transformés en pâte, charriés par des conduits, lancés sur les feutres des machines, découpés par des jets d'eau, desséchés, fendus par des lames d'acier, enroulés en bobines dont un bord était imperceptiblement plus épais que l'autre pour des raisons que les spécialistes ne pouvaient expliquer, sinon en l'attribuant à la rotation terrestre ; il y avait des turbines et des chaudières, l'odeur suffocante du soufre et celle, acide, du chlore, le vombrissement des scies mécaniques et le chuintement de la nappe de papier, dix fois rompue pendant le bobinage, et que les hommes décollaient d'un seul geste sans arrêter le cylindre ; il y avait des ingénieurs, des techniciens, et un peuple d'ouvriers : bûcherons, chauffeurs, électriciens, conducteurs de machines. D'autres chargeaient les bobines dans les ports suédois, norvégiens, finlandais, les cargos prenaient la mer, traversaient la Baltique, le Sund, le Pas-de-Calais ; jour et nuit, les équipages montaient le quart, grelottaient ou suaient ; à Dunkerque, à Rouen, à Bordeaux, les dockers emplissaient wagons et péniches qui s'enfonçaient à l'intérieur de la France en suivant le fil des rails ou des canaux, pour livrer la cellulose à d'autres usines, situées sur d'autres cours d'eau, et le papier aux imprimeries.

Au terme du voyage, il y avait des rotatives, des linotypes, des presses, des sonneries de téléphone, l'odeur de l'encre fraîche, la poussière du plomb, et des mots, et des dizaines de milliers d'ouvriers : typos, protes, correcteurs, conducteurs de machines, camionneurs, manœuvres, brocheuses, crieurs de journaux, colleurs d'affiches. Les sapins des forêts scandinaves s'épanouissaient aux terrasses des cafés parisiens, sur les murs des sous-préfectures, pour finir en tas d'ordures, et déjà de nouvelles forêts levaient au nord de l'Europe.

De toute cette animation végétale, chimique, marine, humaine, rien ne parvenait au bureau. Franchi le seuil de l'antichambre, les usines étaient réduites à des en-tête de lettres, les arbres à des feuilles d'échantillons, vite jaunies, les hommes à des prix de revient. L'établissement vivait entre clients et commettants, entre chèques, entre deux échéances.

Vaillant avait débuté au commencement de l'été, saison morte. Il s'était rapidement habitué à convertir les devises étrangères en francs, à rédiger des lettres en français d'affaires, à jongler avec les deux cents mots d'anglais, moitié termes techniques, moitié rhétorique de commerce, que le métier exigeait, à découper dans la *Journée industrielle* et le

Journal officiel les nouvelles concernant la papeterie.

Sa peur du lendemain avait été trop brève ; placée
entre le dîner et le petit déjeuner auquel il n'avait
pas eu à renoncer, elle était demeurée sans effet.
Une journée à jeun lui eût été plus profitable. Il
avait accepté le hasard de la petite annonce comme
un dû et, aussitôt rassuré, une fois de plus juge de
ses parents, jouait à l'homme qui gagne son pain.
Une attitude en avait remplacé une autre : Vaillant
avait vingt ans.

Il arrivait au bureau à neuf heures, téléphonait à
la banque Isnard, notait les derniers cours du change.
Le courrier était encore chez le directeur. Boulet, le
placier, apparaissait, un crayon à la main.

— Vaillant, quel écrivain français de huit lettres
est né en 1555. La quatrième lettre est un *H*.

— Malherbe.

Boulet s'en allait. Vaillant se dirigeait alors vers le
comptable. Tout en nage, Tricot alignait des
chiffres, faisait l'addition sur la machine à calculer,
récemment introduite, puis, la plume à la main, vérifiait le résultat.

— Depuis la mort de ma femme, disait-il, ma fille
exige que je fasse des économies. Simone est ma
seule héritière, alors ça se comprend. J'ai décidé de
lui présenter une liste de mes dépenses mensuelles. Comme ça je suis tranquille, et elle aussi.

Vaillant parcourait une feuille à en-tête du
bureau : "Logement, 300 francs, nourriture (et bois-
son), 750 francs, déplacements, 50 francs, l'homme
n'est pas de fer, 50 francs." Il s'informait :

— Pourquoi pas de fer ?

— De temps à autre.

— Et vous l'enverrez à votre fille ?

— Mais oui. Evidemment, il y a les cent francs
de cigarettes : c'est beaucoup. Enfin, elle saura que
je mets de côté deux cents francs par mois.

Un pas résonnait dans le couloir. M. Huchet se rendait aux cabinets. Il est dix heures vingt, pensait Vaillant. La cérémonie durait tous les jours vingt minutes d'horloge. A ses débuts il s'était avisé d'occuper les lieux à la place du directeur : jusqu'à onze heures moins vingt, les employés s'abstenaient.

Roger apportait le courrier. En travers des lettres, M. Huchet avait inscrit au crayon bleu : "à classer", "demander confirmation", "envoyer échantillon", "prendre renseignements". Vaillant retirait la housse de la machine à écrire.

A dix heures quarante, le directeur regagnait son bureau, déçu et coléreux. Germaine, un bloc de sténo à la main, lui emboîtait le pas. Une demi-heure plus tard, elle frappait à la double porte de Mme Lacassagne. Sa robe de laine noire, toujours la même, lui montant jusqu'au cou, le nez chaussé de lunettes, la gérante dictait :

— Nous vous accusons réception, et cætera, une triple rangée de chiffres, nous avons l'honneur, et cætera.

Ou quelquefois :

— Je vous prie d'agréer, monsieur, mes bien sincères civilités.

Tout en sténographiant, Germaine observait le bureau de la patronne, le dictionnaire anglo-français et vice versa, les deux fauteuils de simili-cuir, un grand portrait de M. Androuet au mur, un autre où le fondateur de la maison était représenté au cours de son unique voyage en Scandinavie, habillé en chasseur, des diplômes encadrés et un coffre, grand comme un caveau de famille.

La mode régit jusqu'aux coffres-forts. Celui des établissements Androuet-Lacassagne datait de l'époque des premières bouches de métro et de l'affaire Dreyfus. Son constructeur avait fait de son mieux pour en dissimuler la destination, l'affublant de guirlandes et de torches, de papillons et de nénuphars. C'est les nénuphars qu'il fallait tourner pour faire fonctionner la combinaison qu'avec la gérante M. Huchet était l'unique personne à connaître, comme il était le seul à pouvoir pénétrer à toute heure dans le bureau de la patronne.

A midi, Germaine en ressortait. M. Huchet parcourait les locaux.

— Midi, roi des étés, disait-il en passant.

Et, s'adressant à Vaillant :

— *Are you goïnge ?*

De midi à quatorze heures, le bureau restait vide. L'après-midi, Roger venait faire la causette avec Vaillant. Sa première fille était née le 14 juillet : il se sentit nationaliste. La cadette était née le 11 novembre : il devint mystique. Quand une mouche se posait devant lui, il la brûlait en disant :

— Tu ne vaux pas plus cher que Jeanne d'Arc.

Les raisons de son angoisse variaient. L'avant-veille, il avait cassé trois verres d'un seul coup ; à présent, il attendait les résultats. Pour le moment, il ne voyait rien venir. Superstitieux, il jouait à chaque instant sa fortune, sa santé, sa vie. S'il fumait avec deux copains et se trouvait le dernier à allumer sa cigarette, cela lui donnait des palpitations. Il s'y efforçait quand même, puis épiait la catastrophe.

— Les cigarettes, c'est pas très grave en temps de paix, expliquait-il. Mais méfiez-vous des glaces. J'en ai cassé une juste avant la mort de ma mère. Et pourtant elle était malade depuis douze ans. Il faut que je vérifie les glaces. J'en ai bien cassé une autre, il n'y a que six mois de ça, alors j'attends toujours. J'essaie de briser un abat-jour : j'ai remarqué que c'était le meilleur porte-bonheur. J'ai choisi un vieil abat-jour et je l'ai mis au bord de la cheminée. Le soir, en rentrant, je fais semblant de ne pas le voir et je donne un petit coup dans le vide. J'ai raté l'abat-jour mais j'ai eu la glace de la cheminée. C'est à recommencer.

Les poils de sa petite moustache noire frissonnaient, ses yeux plaintifs interrogeaient, sa poitrine étriquée, renfoncée, ne pouvait pas loger tant d'émotions.

Vaillant retournait à son travail. Sur le toit de la maison d'en face, un ouvrier fixait pour la dixième fois avec un fil de fer une cheminée qui dansait. Dans la cour, un aveugle chantait :

— J'ai fait trois fois le tour du monde.

De l'autre extrémité du couloir parvenait le crépitement de la machine de Germaine. Boulet venait demander à Vaillant le nom d'un fleuve des Indes en cinq lettres.

— Gange, répondait le garçon.

Personne ne prenait garde à la douleur du chanteur. Le concierge montait le courrier. Le comptable venait se plaindre :

— Dès que j'entends de l'eau qui coule, que ça soit la pluie, la mer ou le bruit d'un robinet, j'ai envie de faire pipi. A ma place, est-ce que vous iriez consulter un docteur ?

Sur le toit, l'ouvrier avait terminé son travail. Le chanteur ramassait à tâtons le prix – en gros sous – de sa douleur. A six heures moins dix, M. Huchet se dirigeait à nouveau vers les cabinets. Il en sortait au bout de dix minutes, vaincu.

— *Are you goïnge ?* disait-il.

Le bureau se vidait comme un verre renversé. On enlevait les blouses, les manches de lustrine. Les couvercles des encriers retombaient avec un claquement sec. Roger sortait le dernier, fermant la porte à clé.

Vaillant retrouvait M. Huchet à l'arrêt de l'autobus.

Le directeur en désignait un, bondé :

— Tous ces gens ne croient pas en Dieu.

— Pourquoi ?

— C'est l'autobus *A T.*

Il riait. Puis :

— Hier, en nous couchant, ma femme m'a demandé : "Comment crois-tu, qu'est-ce qu'il y aura après la mort ? — Rien. — Tu es sûr, absolument rien ? — Tout à fait sûr. — C'est dur à imaginer."

— Quel est votre avis, Vaillant ?

Il montait dans l'autobus, s'installait à la place du receveur pour pouvoir, aux arrêts, tirer la chaînette du geste sec, familier et coléreux des gens atteints de constipation chronique.

Vaillant imaginait le lit conjugal du directeur, avec son édredon, ses oreillers, où des générations de Huchet naissent, dorment, accouchent, meurent, accompagnés en sourdine par le vrombissement des générations de mouches qui ne chient que sur les portraits de famille.

Au bureau, trois nénuphars montaient la garde du coffre-fort.

Dans ce cadre s'insérait le jeu de l'homme-qui-gagne-son-pain. A force de ne pas supputer un renvoi toujours possible, Vaillant se crut indépendant ; pour être attentif aux manies de ses collègues, il se taxa de psychologie. Il n'était qu'ingénu. Il se contentait des superstitions de Roger, des mots croisés de Boulet, de la constipation du directeur et de ses plaisanteries. Les marionnettes qu'il créait ainsi, il croyait en tirer les fils.

— Avez-vous entendu dire, monsieur Huchet, interrogeait-il, que pendant l'inflation, en Autriche, on collait les billets de banque sur les bouteilles de bière, comme étiquettes ?

Le directeur l'inspectait d'un œil méfiant, s'assurait de son sérieux, se plongeait dans une rêverie béate en fronçant les sourcils. Vaillant continuait :

— J'ai lu dans les journaux qu'un millionnaire

américain allume ses cigares avec des billets de cent dollars.

En entendant cette plaisanterie usée, M. Huchet ne tenait plus. Pour l'achever, Vaillant inventait le nom du millionnaire. Le directeur fronçait les sourcils. L'Amérique était vouée à la ruine.

Une demi-heure plus tard, Huchet passait la tête par l'entrebâillement de la porte.

— Téléphonez à la banque pour demander le cours du dollar.

— C'est vingt-quatre quarante-trois, répondait le garçon.

Et il s'indignait : il est vrai qu'à son âge, c'est la petitesse des sentiments qui révolte, et non leur nature. Il n'en est pas de plus puissant que l'amour. Mais Vaillant n'avait pas le temps d'y songer en ce moment où il devait se préparer au grand dîner annuel chez Mme Androuet en présence de Ginette. Trois minutes suffisaient pour ressentir successivement, mais avec la même intensité, la rancune, le remords, le triomphe, la honte et l'espoir parce qu'une jeune fille l'avait oublié, était allée à Antibes, s'était enrhumée et voyait souvent sa grand-mère. Il était bien amoureux.

Ginette ouvrit les yeux. La chambre était partie. Plus de commode. Plus de lapin sur la commode, ni de lapins aux murs, tous pareils mais immobiles. Plus de nounou, ni de glace où apparaissait une autre nounou, silencieuse. Plus rien. La chambre avait abandonné Ginette. Elle se mit à pleurer.

Une voix, le frôlement de pieds nus par terre, et tout d'un coup la chambre revint, entoura Ginette. Comme si de tout temps elle l'avait enveloppée, bordée, s'était penchée au-dessus de son lit, semblable au visage ensommeillé et mécontent de la nounou.

Ginette s'endormit pour oublier à tout jamais le souvenir de cette nuit. Elle abandonnait son jeu, errait d'une pièce à l'autre, étudiant les objets familiers, suivant la trace d'un souvenir, suspendu au mur, entre le poignard japonais et le plat de porcelaine ébréché. Cette réminiscence était défendue ; bien des années plus tard, Ginette qui avait oublié jusqu'au souvenir du souvenir, frémissait parfois : on pouvait croire qu'elle venait de subir une perte et ne comprenait pas pourquoi elle se rongeait le cœur.

Comment eût-elle pu se rappeler cet instant terrible, lorsqu'elle avait découvert que les choses respirent la trahison et une secrète animosité, après avoir appris ce qu'est la nuit et compris que seuls s'en vont et reviennent les êtres humains.

Elle sentait que ce souvenir se situait hors des limites de sa mémoire. Tout ce qu'elle entendait et inventait venait se jeter dans cette vie première, faite de contes et de conversations de grandes personnes. Il y avait la tortue au mécanisme d'horlogerie et l'empereur jaune Hing qui faisait la guerre à l'empereur blanc King ; les meubles et les portes, au printemps, bourgeonnaient, se couvraient de feuilles, fleurissaient ; le soleil, le vent et l'aigle ombrageaient Ginette de leurs ailes éblouissantes.

Le temps n'était pas encore venu des leçons, des cahiers réglés et des taches d'encre aux doigts, fatales comme les genoux écorchés chaque jour au jardin. Les grands ne s'étaient pas encore aperçus de l'existence de Ginette, ne s'obstinaient pas à la rendre conforme. De son côté, elle les laissait tranquilles. Ils n'étaient pas de la même espèce qu'elle. Les plus étrangers étaient les vieillards, creusés de rides, couverts de poils jaunâtres, aux mains rugueuses et tremblantes, qui sentaient mauvais et qu'il fallait embrasser.

Maman était plus proche, parfois presque compréhensible. Elle exhalait des odeurs domestiques et ses mains en caressant n'écorchaient pas la joue. Quelquefois, lorsque Ginette était déjà endormie, maman, rentrée d'une visite, pénétrait dans sa chambre au milieu d'un nuage de parfum, se penchait au-dessus du lit et embrassait l'enfant d'un baiser glacé, à travers la voilette. La fillette, rouge, tiède et laiteuse, ne comprenait pas dans quel rêve, dans quelle vie elle chavirait, elle s'accrochait au bouquet de très artificielles violettes de Parme, à moitié noyé dans un col de fourrure, et ronronnait tout doux ; à ces instants, elle était prête à accepter sa mère dans sa première existence.

De jour, maman était différente : elle se fâchait, donnait des ordres, ne comprenait pas Ginette. La mère nocturne, la vraie, ne se fâchait jamais ; le soir, Ginette tâchait de ne pas s'endormir, contemplant le triangle de lumière au plafond qui ressemblait au moine encapuchonné du baromètre en carton, elle comptait jusqu'à mille avant d'appeler d'une petite voix. Lorsque ses appels trop fréquents restèrent sans réponse, elle apprit à descendre du lit sur la pointe des pieds et, après un moment d'attente, appelait. Sa mère passait la tête par l'entrebâillement de la porte.

— Qu'est-ce qu'il y a encore ?

— Maman, je suis tombée.

La ruse réussissait. Maman battait l'oreiller, recouchait Ginette, la bordait, et l'enfant que la fraîcheur des draps et le confort retrouvé faisaient frissonner s'endormait en serrant la main maternelle et en tirant doucement sur le duvet du poignet. La mère ne partait pas ; se penchant, elle murmurait d'une voix rapide et caressante :

— Ma fillette, mon petit ruisseau, ma petite herbe, mon petit soleil, ma petite étoile, ma petite feuille, mon arbuste.

— Tu l'as déjà dit, l'interrompait Ginette, et elle se rendormait au murmure de sa vraie mère.

De plus en plus, Ginette s'habituait à sa première existence, oubliant pour elle ses poupées, jusqu'à ses cubes de bois.

A la tombée du jour, les couloirs s'emplissaient d'un air particulier, de froissements, de craquements. Des courants secs pourchassaient des troupeaux d'ombres, la nuit se mettait en mouvement, le plancher s'enfonçait sous les pieds, tout autour surgissaient des arêtes glacées, des attouchements velus frôlaient la nuque, la respiration se coupait, la lointaine tache de lumière à travers la porte de la salle à manger tombait par terre comme une bouée de sauvetage. Ginette ne pouvait s'empêcher de fréquenter les couloirs dont elle revenait, surmontant ses frissons pour ne pas trahir le secret et ne se calmer, déshabillée et débarbouillée, que lorsqu'Amicie lui brossait les cheveux pour en dépêtrer le crépuscule et le vent.

Le plus mystérieux de tout, même en plein jour, était le bureau du père. Ce meuble se dressait dans le scintillement de ses innombrables serrures. Personne ne savait qui se terrait à l'intérieur des tiroirs. Père lui-même en avait peur. Lorsqu'il en entrouvrait un pour retirer quelque chose de vivant, de frémissant, il s'empressait de le clore, le retenant de la main, et tournait aussitôt la clé. Le trousseau de clés et la présence du père rassuraient Ginette ; elle se sentait protégée contre ce qui menaçait de jaillir de la table et d'inonder l'appartement : peut-être ces mêmes fantômes qui, chaque soir, se ruaient le long des corridors. Certains ressemblaient à des hommes, à des jouets, à du bric-à-brac : Ginette n'avait presque pas peur de ces erreurs de la vue. Mais il y en avait d'autres, informes, épaisses, caillots qui se coagulaient derrière les épaules, se collaient au cou, s'agrippaient aux cheveux. Le jour, le père les tenait enfermés, et le tintement métallique des clés résonnait victorieusement dans les pièces, mais le soir il partait – il partait toujours le soir – et les hallucinations, échappées des cages du bureau, submergeaient les corridors, glissaient sous les portes fermées, se pressaient sur le seuil des pièces éclairées, attendant l'instant où les lampes s'éteignent pour se précipiter et envahir l'étage. Les ampoules vacillaient dans la lutte inégale, elles blêmissaient et mouraient comme les papillons aux premiers froids. Les visions illusoires engluaient leurs cadavres encore tièdes, et Ginette s'enfonçait sous la couverture, condamnait toutes les issues et, comptant jusqu'à cent, jusqu'à mille, attendait que le sommeil voulût d'elle.

Une fois, avant le dîner, Ginette pénétra dans le cabinet de travail de père et grimpa prudemment sur le fauteuil, devant le bureau. Un océan s'ouvrit à elle, un océan vert et solide, peuplé de cubes de verre et bariolé de l'arc-en-ciel des dossiers. Droit devant elle, voguait une lettre lisérée de noir. A côté, un coquillage faisait le gros dos. Ginette frôla l'enveloppe qui froufrouta. Elle caressa le coquillage rose, il ronronna. Elle l'approcha de l'oreille, et le bruit d'une respiration profonde emplit son corps. Ginette jeta un regard méfiant à l'intérieur de la carapace : une grande ombre s'y tenait, recroquevillée, qui respirait. La fillette dégringola du fauteuil et accrocha dans sa hâte la poignée d'un tiroir qui s'entrouvrit. Tremblant de curiosité et de peur, elle tira sur la tige et, sans regarder, poussa un cri et s'enfuit. Plus tard, elle crut avoir jeté un coup d'œil à l'intérieur et aperçu elle ne savait trop quoi. Elle dévala le couloir, les paupières closes, les bras tendus devant elle. Un souffle sourd, le souffle du coquillage, la talonnait : elle n'avait pas reconnu les battements de son cœur. Elle se rua dans la salle à manger, sentit aussitôt qu'elle devait à tout prix cacher l'événement. Pour son bonheur, les parents discutaient.

On se mit à table. Ginette épiait les bruits du couloir et s'attendait à la catastrophe. Il faut avertir papa. Mais elle n'osait pas. Le tiroir béant la poursuivait, et elle se tournait à tout instant, pressait la nuque contre le dossier de la chaise. Rien ne se passait. La fillette observait les lampes, s'efforçant de ne pas attirer l'attention. Père et mère parlaient de connaissances. Dans le couloir, la houle montait toujours. Lorsque la cuisinière entra, avec le dessert, Ginette crut voir quelqu'un derrière la porte. Au même moment, les lumières s'éteignirent. Lorsqu'on apporta une bougie, on aperçut l'enfant par terre, évanouie. Elle resta longtemps sans ouvrir les yeux. Les desserrant à peine, elle reconnut, penchés sur elle, père et mère, vivants. Ils ne comprirent rien à ses explications décousues. Elle avait parlé d'une tortue à mécanisme d'horlogerie, sacrifiant cette bribe de sa première vie pour dissimuler la vérité, par trop terrible.

— Une telle sensibilité à son âge, s'indignait la mère. Tout cela parce que les plombs ont sauté.

Le père se taisait, comme toujours.

Déjà, Ginette traçait dans ses cahiers des bâtonnets inclinés, déjà ses chers cubes de bois, peuplés d'enfants, de pigeons et de chats, avaient cédé la place à d'autres cubes, blancs avec des lettres noires, et qui sentaient la colle et l'insolite. Ginette tâchait de les domestiquer. Le *L* rappelait un bonhomme assis, le *H* deux bonshommes se serrant la main. La fillette les disposait par terre et engageait entre eux des conversations sans fin. Maman lui disait de placer les cubes dans un ordre défini :

— C'est un *M* et ça, un *U*, et ça, un *R*, et le tout se lit : *MUR*.

Ginette essayait d'apercevoir ce mur dont parlait

maman et ne voyait que des connaissances prêtes à se plonger dans un entretien.

— Petite sotte.

Habituée aux injustices, Ginette disait :

— Bien, m'man, c'est un mur.

L'instruction n'avançait pas. Les bonshommes triomphaient. Leur victoire et leur interminable bavardage auraient duré longtemps si, survenant au milieu d'une leçon, père n'avait timidement proposé :

— Tu vois, Ginette, le *A*, c'est un *a*-bat-jour. Le *B*, c'est une *b*-icyclette avec ses deux roues.

— Tu la rends complètement folle, dit la mère, j'ai assez de mal avec elle.

Honteux, il sortit. Mais Ginette apprit à lire en trois semaines. Seulement certaines lettres étaient demeurées sans clé magique, et même un an plus tard, l'enfant confondait *F* et *Z*.

A présent, elle s'amusait à ranger les cubes ; lorsqu'ils formaient un mot nouveau, la fillette battait des mains : elle ne comprenait pas comment ces objets qui convenaient si bien à construire une tour se mettaient à signifier autre chose qui ne leur ressemblait guère. Dans cette étrange métamorphose, elle soupçonnait un miracle, soit la circonstance la plus naturelle du monde.

Déjà au berceau, il lui suffisait d'ouvrir le poing pour qu'il disparaisse : on avait beau le chercher, la main avait pris sa place, avec ses cinq doigts. Une contraction, et le poing revenait, mais la main avait disparu. L'air était plein de ces prodiges.

A présent, les grands commençaient à s'acharner après Ginette, les mois passaient, mais elle dessinait encore les corps humains de face, leurs pieds de profil, et faisait des rêves en couleurs.

Depuis toujours, les promenades l'attiraient. D'abord on longeait un mur interminable, puis des maisons, pour pénétrer dans le jardin. Il y avait de l'eau, des bateaux à voile et des chevaux de bois, blancs et noirs, à la selle rouge, à la gueule sanglante, au fou regard figé. Ils tournaient, les anneaux s'empilaient sur la tige de fer, au bout, il y avait le sucre d'orge, et si vous ne réussissiez pas à l'attraper on vous en faisait cadeau, et vous en tourniez l'écorce rugueuse entre les lèvres jusqu'à avoir la langue rêche.

Une fois par semaine, Ginette célébrait sa fête païenne. Elle y songeait depuis la veille au soir en s'empêchant d'y penser pour ne pas gâcher le plaisir.

— C'est samedi aujourd'hui ? s'informait-elle, craignant de s'être trompée.

Elle se promenait dans le couloir, épiant les rugissements du chauffe-bain.

— Ginette, prépare-toi.

Elle courait se déshabiller. Puis elle observait bouche bée Amicie qui, le visage soudain solennel, promenait dans l'eau le thermomètre et, l'agitant en l'air, pontifiait :

— Voilà !

Des coques de noix, l'éponge couleur de miel et le poisson rouge en celluloïd flottaient déjà dans la baignoire. Amicie savonnait Ginette, la sortait de l'eau, la tenait en l'air pour l'envelopper dans un drap et l'asseyait sur ses genoux. Ginette observait le minuscule arc-en-ciel qui habitait tout en bas du miroir et, ronronnant de plaisir lorsque le tissu rugueux glissait entre les orteils, songeait avec un frisson aux draps frisquets, à peine empesés, et à l'oreiller sur lequel, à coup sûr, l'attendaient une pomme et une tablette de chocolat.

Le printemps avançait. Chaque dimanche maman battait les environs à la recherche d'une villa ; elle revenait, rouge et pincée, parlant de linge de lit et de linge de table. La première nuit à la campagne était méconnaissable ; de gros papillons velus, pareils à des ombres, se heurtaient aux verres surchauffés et sombraient. L'enfant ne pouvait pas s'endormir dans le nouveau lit, écoutant le froissement des tentures, le craquement des portes, les plouf ! humides des phalènes qui de leur ventre mou heurtaient le plafond.

Au matin, Ginette naissait de nouveau. Elle s'enfonçait dans ce jardin sans grilles ni statues et ne pouvait concevoir pourquoi il lui fallait rentrer, avaler des morceaux et des gorgées, répondre, sans s'interrompre de regarder la porte derrière laquelle la nature se tenait, attendant qu'elle finisse et revienne.

Lorsqu'elle en avait assez de se cacher, de se retrouver, de parler à l'écho et d'éduquer des fourmis, d'élever les pois et les lentilles, elle rentrait, tombant de fatigue, juste à temps pour apercevoir papa qui revenait de la ville, couvert de poussière et de paquets. Il se taisait toujours, parfois Ginette surprenait, posé sur elle, le regard de ses yeux transparents. Il faisait semblant de lire son journal, elle se laissait examiner comme si elle ne s'apercevait de rien, elle n'en souriait pas moins, droit devant elle. Une fois, père entra timidement dans sa chambre, dit :

— Moi aussi, quand j'étais petit.

Il se tut et partit.

Aux champs, les fleurs se relayaient ; sur la table, les fruits faisaient la chaîne : fraises, cerises, framboises, pêches, amandes ; les pommes signifiaient la fin. Il bruinait, sur terre traînaient des ficelles, des éclats de verre, de la paille ; des bouteilles vides s'alignaient dans les coins ; des mouches poussiéreuses bleuissaient aux fenêtres ; les matelas nus avouaient leurs taches. Amicie retrouvait, pour les mois à venir, la main de Ginette, on sortait sur le perron, l'enfant partait, gantée, chaussée, chapeautée ; les grands, hâtifs et distraits, coupaient les derniers dahlias, et le jardin s'en allait à son tour.

Les salamandres ronflaient, vastes comme des nourrices, la pluie battait les carreaux, la chambre avait rétréci depuis l'année précédente, comme les robes d'hiver aux manches trop courtes. Père venait d'apporter un nouveau livre. Ginette lisait, la tête dans les mains, les coudes sur la table. Elle n'aurait pas su dire, par la suite, à quel moment elle avait découvert la Grèce : ce soir-là, elle ne croyait pas lire, mais retrouver Andromède, Perséphone, Pénélope, mots d'une langue familière, langue de sa première existence, comme ceux qui jadis surgissaient de la rencontre fortuite des cubes de bois. Rien ne l'empêchait de se souvenir et de compléter : le livre était sans image.

Depuis ce soir-là – depuis toujours – la Grèce l'enveloppa, pareille à la chambre de sa première enfance, pareille au jardin. Elle était dans ce livre bientôt dépenaillé, dans le jardin, au ciel où brillaient Hercule et Persée. Au Luxembourg, la bruine perçait les aveugles de pierre. Ils blanchissaient entre les troncs d'arbres noirs, rôdaient dans les allées et traversaient les pelouses, sans froisser l'herbe jaunie, ni même soulever les feuilles tombées, ou bien, pressés contre la grille, suivaient le lent écoulement des fiacres. Les voiles découpaient le grand bassin, la poussière fusait au-dessus du claquement des boules de croquet, le vent se promenait le long des chemins, comme les dieux que l'on enfermait pour la nuit dans le jardin désert qu'éclairaient les étoiles, leurs homonymes.

Ginette jouait avec eux, les conviait chez elle, et ils arrivaient, incités ou non, Pénélope l'éternelle tisseuse, le sphynx et l'aveugle, et l'Aurore aux doigts de rose. Elle pleura amèrement lorsqu'elle apprit que le nouveau bébé de Mme Huchet s'appellerait Gisèle, alors qu'il y avait Andromède, Andromaque. Assise par terre dans sa chambre, elle s'affligeait de la sottise des grandes personnes.

Lorsqu'il plut trop pour aller au Luxembourg, Ginette chercha et trouva la Grèce autour d'elle : une peau de lion s'étalait dans le salon, des oiseaux noirs fusaient chaque soir de l'église d'en face, une flûte chantait dans la cour, lente et mélancolique ; et qui donc entraînait dans un tonnerre les pompiers casqués d'or, sinon les coursiers noirs du roi de Thrace ? Le salon de grand-mère en était peuplé : une lyre dorée s'incurvait sur le dossier de la chaise, une autre se tapissait sous le piano ; au-dessus des pédales, des cygnes visitaient les canapés. Ginette serrait entre ses doigts des jouets vieux de trois mille ans.

Les leçons avaient lieu le matin. Casqué d'accents, l'alphabet s'installait dans le cahier réglé comme la grammaire, les mots formaient des coteries d'exceptions ; bonbons et enbonpoints, bien sûr, cailloux et genoux, cela allait de soi. Mais les histoires ne signifiaient rien : il fallait lire "le phénix des hôtes de ces bois", le tout s'appelait les fables de la fontaine. Donc la fontaine du petit Luxembourg.

Mère était allée accompagner père à la gare. Il avait embrassé Ginette, voulut dire quelque chose, l'embrassa encore.

On alla d'abord habiter chez grand-mère, puis, avec elle et Amicie, au bout d'une ligne de banlieue, une maison qui sentait la naphtaline. Mère allait en ville tous les jours ; parfois elle rapportait dans une boîte des soldats de plomb. Ils avaient des yeux peints sur le front et pas d'oreilles. Ginette ne savait quoi en faire.

— Quand papa reviendra, il te montrera comment y jouer, dit mère.

Il revint une seule fois, six mois plus tard, lourd comme un soldat de plomb.

— Viens jouer à la vraie guerre, dit Ginette.

— Mieux vaut pas.

Mère insista. Pour la première fois, il ne céda pas.

Ginette, déçue, se mit à pleurer. Il ne savait pas amuser les enfants, même le sien, et après tout, une permission c'est quelques jours avec la guerre derrière et devant : il avait la faiblesse de croire qu'il y échapperait.

Pour Ginette, la guerre fut un bas, un bas noir, tellement dur qu'on pouvait le poser debout ; elle le tricota pendant deux ans et ne devait jamais le terminer.

Elle jouait avec une voisine dans le jardin poussiéreux de la maison. La voisine était la fille du lieutenant-colonel et méprisait Ginette tout en la redoutant. Ginette commandait, se vengeant du mépris. Cachée dans le taillis ou derrière le pommier, courant autour de la demeure, elle savait que le temps n'était pas aux jeux. C'est un péché, pensait-elle. Elle n'avait pas la force de surmonter la tentation, de s'empêcher de rire et de hurler.

Lorsqu'elle bondit dans l'entrée, Amicie était au téléphone. Ginette entendit la fin d'une phrase, sans doute la réponse à une question :

— Nous espérons que l'opération va réussir au mieux.

Son animation tomba d'un coup. Elle avait compris.

Personne ne lui avait parlé de la blessure, en sa présence tout le monde affectait une gaieté désinvolte, maman lui avait envoyé une carte postale en couleurs et une boîte de chocolats, elle ignorait jusqu'au sens du mot "mourir" et ne pouvait s'imaginer que mère s'était rendue en toute hâte à l'hôpital de Limoges où son mari se vidait de son sang par un trou qu'avait creusé un éclat d'obus, n'empêche qu'à l'instant où Amicie raccrocha le récepteur et la renvoya au jardin, Ginette se dit que père était mort.

Dix minutes plus tôt, elle avait joué, et tout en jouant elle s'effrayait d'être aussi mauvaise. A présent, elle était condamnée à jouer. Elle traversait les allées en hennissant, piétinait les plates-bandes, retournait à la maison en passant par la fenêtre, ouvrait le piano, plaquait quelques accords, se précipitait à la cuisine en renversant une cuvette, se mettait à sauter sur place en tirant la langue à la cuisinière, et longtemps encore, rouge, ébouriffée, transpirante, galopait dans les pièces, sans écouter Amicie et surtout s'efforçant de ne pas entendre le coup de sonnette du facteur.

Grand-mère arriva la première. Elle dit à Ginette de ne pas avoir peur : maman venait de rentrer, elle était habillée d'une robe noire, pas celle qu'elle portait au bureau, taillée autrement et toute neuve ; il fallait être gentille avec elle. La fillette n'écoutait pas, faisant semblant de ne rien savoir.

La mère entra. Elle eut envie de se jeter au cou de Ginette, mais elle se maîtrisa pour dire :

— Regarde ma belle robe. Je t'ai apporté une poupée. Papa est parti en voyage, tu ne le reverras pas de sitôt, il m'a priée de t'embrasser.

Ginette accepta la poupée comme une insulte qu'elle n'avait pas méritée. Mais elle était reconnaissante à sa mère de lui avoir caché la réalité. Elle avait l'impression, tant que personne ne parlerait, que père vivrait. "Nous espérons, avait dit Amicie, que l'opération va réussir." Elle avait peut-être réussi. Ginette méprisait ce mensonge auquel elle se raccrochait.

Le soir, la famille se réunit dans la salle à manger. Ginette était assise à côté de grand-mère, belle et plus rose que jamais. On parlait de médecins à Limoges. Ginette se taisait. Les larmes coulaient de ses yeux, intarissables comme l'eau du robinet. Sans un bruit, les lèvres serrées, les muscles tendus, elle contemplait dans la théière d'argent son reflet large et aplati. Grand-mère la regarda et s'interrompit à mi-mot.

— Je crois, dit-elle.

Ginette leva les yeux, blanchit, fixa sur la vieille dame un regard désespéré et suppliant. Les forces lui manquaient pour se lever, fuir, se boucher les oreilles.

— Je crois, répéta grand-mère, qu'on peut tout dire à Ginette. Elle sait.

La fillette fit non de la tête. Tandis qu'à travers les larmes, grand-mère sentait qu'enfin elle avait trouvé une fille, une amie, capable de tout comprendre, pour Ginette père mourait une seconde fois.

La mort et la musique entrèrent dans la vie de Ginette au pas et sans frapper. Elle n'avait pas encore eu le temps de se refermer, n'avait pas appris à ne pas voir, ni entendre, à oublier. Comment eût-elle su que l'on ne doit jamais se livrer à la merci de la musique si l'on veut rester soi-même, qu'au concert, il convient d'examiner les connaissances ou le programme, au pire suivre des yeux les mains des musiciens, que lorsque retentit dans la cour un orgue de Barbarie, il faut s'en défaire coûte que coûte, en faisant par la fenêtre le sacrifice de pièces de cuivre au destin aveugle, que lorsque, dehors, monte le piétinement de pas enfantins et, dans les nuages de poussière, brillent les cuivres d'un régiment, la plus élémentaire prudence commande de tirer les rideaux, de se boucher les oreilles, de plonger la tête dans les oreillers pour éviter la contagion. Ginette n'en soupçonnait rien : les régiments répandaient des traînées de musique et de guerre, les gouttières débordaient de musique et d'automne, faisant écho aux sonates de Beethoven, au carillon des cloches, aux sifflets des trains, aux sirènes des bateaux qui déchirent Paris les nuits d'insomnie.

Le Luxembourg était toujours immense, inhabité. Amicie avait mal aux dents. Ginette alla se promener avec une amie. Elle ne joua pas, vadrouillant le long des allées à la recherche de quelque chose comme, sept ans plus tôt, sur le bureau du père. Un vieillard était assis sur un banc, qui traçait des signes dans le sable avec sa canne.

Un garçon s'approcha de Ginette.

— Demandez-lui l'heure, dit-il en indiquant le vieil homme.

Ginette se dirigea vers le banc, contempla la main tremblante de l'inconnu, s'informa :

— Pardon, monsieur, quelle heure est-il ?

Le vieillard glapit, brandit la canne ; le banc monta au ciel, le garçon détala au galop ; des gens couraient vers Ginette, une voix cria :

— Au fou !

La fillette se releva, s'enfuit sans se retourner, comme elle avait fui les ombres dans le couloir. Elle croyait entendre le cri du vieillard.

Elle se sentait devenir transparente, perméable, son corps se détachait d'elle, pour la première fois c'était elle-même, et non sa vie, qui se dédoublait. Elle examinait curieusement ses mains amaigries, ses pieds trop grands pour son âge, contemplant du dehors ses moindres mouvements, et s'asseyait, se relevait, haussait les épaules, tournait la tête comme pour vérifier le fonctionnement de la marionnette.

Elle apprit à parler à son reflet dans la glace, à observer son ombre. En se promenant, elle faisait attention de ne pas frôler les fentes entre les dalles du trottoir et en montant l'escalier, sautait la première marche, toujours en pierre : elle s'inventait des rites à longueur de journée. Et un jour, en rentrant de l'école, la surprise, la panique. Pâle, les yeux élargis, les dents serrées, elle se précipita vers un taxi en maraude. Enfermée à clé dans sa chambre, elle déchira en tremblant la culotte et la chemisette ensanglantées avant de les jeter aux toilettes, cherchant le moyen de dissimuler aux siens les taches de sang et le fait d'avoir pris un taxi.

Le lendemain matin, Ginette s'en alla à la découverte de l'interminable mur qui avait bordé ses premières promenades. Il était parti. Elle revint sur ses pas, lentement, en examinant les façades. Aussitôt, à la troisième maison, elle l'aperçut, non pas un mur mais un pan de clôture, bas, à peine notable. C'était là son premier bout du monde. Ginette resta quelques minutes à le considérer.

L'appartement sentait ses odeurs de cuisine. Sur un guéridon de laque japonais, recouvert d'une serviette brodée, un chrysanthème artificiel reposait sur le bec dressé d'une cigogne, à l'ombre d'un abat-jour vert et poussiéreux. Un buste de Joffre en stuc ornait une étagère. Les tentures fanées disparaissaient derrière les photos jaunies encadrées de noir. Un faux gobelin représentait l'Angélus de Millet. Mère vérifiait les comptes de la blanchisserie.

Ginette s'assit, prit un livre et, sans lire, promena les yeux autour d'elle. Elle enregistrait : la table, les chaises, le buffet, la cheminée, la glace piquée de points noirs. Surprise par son silence, mère la regarda, elle, le miroir, leurs yeux se croisèrent, et Mme Lacassagne s'aperçut que, pour la première fois, le regard de Ginette n'avait pas son expression étonnée.

Ginette se coiffe, se considère dans le miroir, songe à Eric, s'interroge, mais elle n'a pas le temps de laisser errer ses pensées. Quelques minutes encore et il faudra s'habiller pour se rendre avec sa mère au dîner annuel chez grand-mère et prendre part à la grande bataille.

Le garçon de chez Rez arrive le premier. En descendant, il croise le livreur de chez Potel et Chabot.

— Te presse pas, dit-il. C'est dix sous de pourboire.

Dans la cuisine, penchée sur le vaste champ du poêle, Marie, rouge et moustachue, entraîne à la victoire un régiment de mets blindés de cuivre et d'aluminium. Des gouttelettes de graisse en ébullition sillonnent l'air avec un gai crépitement ; dans les replis du terrain, des nappes de gaz lancent des lueurs violettes ; Marie jette dans la fournaise de nombreux renforts de beurre, de crème et de sel.

Roger, déjà culotté de noir et la poitrine plastronnée, mais sans faux-col ni cravate, range sur deux plats les marrons glacés et les petits fours du confiseur.

Le livreur pose sur la table un paquet de foie gras et dit en humant l'air :

— On fait la noce, ce soir ?

Les domestiques se taisent. Le garçon n'insiste pas, prend ses dix sous et se retire en sifflant.

Au moment où il part, un coup de sonnette résonne.

— Ça doit être le courrier, fait Roger. Si tu allais ouvrir, Marie.

— Je ne quitte pas la cuisine. Vas-y toi-même.

— Je ne suis pas présentable, moi.

— Si c'est le courrier, ça n'a aucune importance.

— Et si, des fois, ce n'était pas le courrier ?

Marie pousse un soupir lourd de sous-entendus, tel un général devant les ordres absurdes mais catégoriques des autorités civiles, et va ouvrir.

Devant l'entrée, un petit homme est en train de fermer son parapluie.

— Vous désirez, monsieur, dit Marie, prête à rabrouer un visiteur qui s'est trompé d'étage.

Quelques gouttes s'échappent du parapluie et se tapissent dans la carpette. L'homme dévisage peureusement la cuisinière.

— Est-ce que ? dit-il en avalant la salive. Il se reprend : C'est bien ici qu'habite Mme Androuet ?

— Oui, monsieur.

Marie n'est rien moins qu'aimable, le mot même de "monsieur" prend entre ses lèvres une expression railleuse.

Le visiteur a du mal à s'exprimer. Enfin, il se décide.

— Tricot, dit-il.

— On en achète pas, réplique Marie, et elle se prépare à fermer la porte.

Le petit homme rengaine son parapluie avec des gestes fébriles.

— Je veux dire, chuchote-t-il. C'est mon nom. Je m'appelle Tricot.

Marie entend, venant de la cuisine, un bruit d'explosion. La dinde, pense-t-elle, un désastre.

— Eh bien ! parlez donc, ou partez, monsieur Chandail, s'écrie-t-elle.

Le visiteur enlève ses gants de filoselle gris, en fait une boule qu'il enfouit dans sa poche, puis redresse la tête, et un changement s'opère dans ses traits.

— Je viens pour dîner, glapit-il. Je suis invité. Allez tout de suite dire à votre maîtresse... Il s'interrompt pour achever d'une voix plus basse : Vous annoncerez monsieur Tricot. Le comptable, ajoute-t-il dans un souffle : son animation est tombée.

— Fallait le dire, grommelle Marie. Eh bien ! entrez, vous n'allez pas passer la soirée sur le palier.

Immobile, les bras croisés, elle le regarde poser le parapluie, accrocher le chapeau, lutter avec le manteau dont les manches trop étroites s'achoppent aux manchettes empesées, puis le plier précipitamment en cachant la doublure avec soin.

— Par ici, fait-elle.

M. Tricot la suit jusqu'à la porte du salon, revient sur ses pas, tire de la poche du manteau un mouchoir et trottine à travers le vestibule.

— Vous attendrez, dit Marie. Madame n'est pas prête. Elle se dirige vers la sortie, revient à son tour et regardant le visiteur dans les yeux, pousse la porte entrebâillée du placard.

Madame est loin d'être prête. Enregistrant d'une oreille attentive le bruit de vaisselle qui, à travers trois cloisons, parvient de la salle à manger – pourvu qu'Amicie fasse le nécessaire ! –, elle regarde le triple miroir de sa coiffeuse. Elle y voit trois mesdames Androuet : une de face, deux de profil. Le jeu des ombres et des crèmes masque à peine les bajoues flasques, la peau, trop molle sous le menton, trop ajustée aux tempes striées de pattes d'oie, le visage entier submergé par un flot de graisse remontant des profondeurs, du cœur peut-être, de cette femme dont les yeux langoureux n'aperçoivent dans le miroir, aujourd'hui comme il y a vingt ans, que des traits lisses et intacts. La confrontation ne dure qu'un instant : déjà, d'une main où les veines semblent dessinées à gros traits de crayon bleu, Mme Androuet arrache un cheveu blanc qui a échappé à l'attention du coiffeur.

Elle se souvient du jour où cela lui est arrivé pour la première fois. A cette même place, et son mari, Victorien, à côté. Sans interrompre la conversation, elle avait, d'un geste nonchalant, supprimé le témoin indiscret. Victorien ne s'était aperçu de rien. Ce jour-là elle avait été plus animée que jamais, toute en sourires savamment voilés de mélancolie, en regards filtrés à travers des paupières bistre ; avec de lents gestes inachevés, elle tirait une traite sur l'avenir. L'avenir : cette glace où Victorien ne viendra plus se refléter. Où surgissent, estompés, comme à travers une mèche de cheveux blancs, le visage anguleux d'Irma, un peu en retrait celui, exsangue, d'Amicie, et entre les deux femmes, le rire de Ginette.

Mme Androuet commence à s'habiller. Pourvu qu'Amicie veille. Elle sonne.

— Marie, crie-t-elle. Marie, venez m'aider. Est-ce que tout est prêt ? Quelle heure est-il, Marie ? Marie, aidez-moi à passer ma robe ! Roger est-il là ?

— Il y a un invité dans le salon, répond la cuisinière.

— Mais quelle heure est-il donc ?

— Un M. Tricot, poursuit Marie.

Mme Androuet lève les bras, s'incline, en un geste d'adoration, devant la robe que Marie déploie au-dessus de sa tête.

— Tricot ? Je ne connais personne.

La mousseline violette emprisonne la tête, submerge la poitrine et s'arrête en froufroutant sur les hanches. On aperçoit un moutonnement d'étoffe et, plus bas, un corset mauve.

— C'est le comptable, fait Marie.

— Ah oui ! Qu'il attende.

Elle commence à arranger ses cheveux.

— Jetez un coup d'œil dans la salle à manger, demandez à Mlle Amicie si tout est en ordre.

Deux épingles à cheveux dans une main, cinq dans la bouche, Mme Androuet rappelle Marie.

— Allez dire à M. Tricot que j'arrive dans un instant.

M. Tricot lui-même peut être utile.

Enfoui dans un fauteuil, le comptable inspecte le salon. Les murs sont tendus de soie beige à grands ramages. Trente francs le mètre, décide Tricot, peut-être trente-cinq. Sous une cloche de verre, une pendule en bronze marque onze heures et demie.

Dans le voisinage retentit un bruit de vaisselle. Tricot se lève et parcourt le salon sur la pointe des pieds. Il palpe les tissus, passe la main sur la marqueterie, gratte les ors. Il trouve les lyres sur les dossiers des chaises, des Amours au-dessus de la cheminée, des cygnes aux bras des fauteuils et des gueules de lion aux pieds des tables. La tête à peine levée, il examine la flore et la faune. La tenture vaut, peut-être, jusqu'à quarante francs le mètre ; il manque une serrure au secrétaire ; les fleurs des vases sont de soie et de nacre ; le piano est fermé à clé.

Tricot lève encore un peu plus la tête. Du mur, un homme le regarde : un menton massif, comme le cadre qui l'entoure, des favoris blancs, des yeux indifférents, fixés sur ce nouvel élément de mobilier égaré dans une pièce qui n'en est déjà que trop chargée. Le comptable revient à sa place et se rassied.

— Tu feras comme tu voudras, mais à ta place je n'irais pas.

— Je ne comprends pas ce que tu dis. Ne pas y aller, moi, nous ?

— Parfaitement. Tu peux dire que tu es souffrant.

— Pour que la vieille dise à sa fille : Tu ne crois pas que Huchet a besoin de repos ? Il baisse.

— Mme Lacassagne l'enverra promener, la vieille. C'est elle qui commande.

— Elle est gérante, un point c'est tout.

Huchet repasse le blaireau sur sa joue gauche.

Sa femme traverse la pièce en croisant sa robe de chambre sur de maigres seins.

— C'est entendu, dit-elle, tu y vas, mais seul.

Huchet lâche le rasoir.

— Il ne manquait que ça. Blanche, je t'en prie, sois raisonnable.

— J'ai mon amour-propre, moi.

— Il n'est pas question d'amour-propre.

— Evidemment, tu ne comprends pas ce que ça veut dire. Mais moi, je suis une femme, je ne tiens pas du tout à passer la soirée en compagnie de ton ivrogne de placier.

— Il n'y aura pas que Boulet !

— C'est bien ce que j'ai pensé. Je parie qu'on a invité aussi cet idiot de comptable et cette fille – comment s'appelle-t-elle ? – la dactylo.

— Mais, ma bonne, tu sais bien que c'est la tradition de la maison. Une fois par an, le personnel tout entier.

— C'est une fois de trop. Et puis, assez discuté. Tu peux y aller, toi. Ça ne me regarde pas.

Huchet, une joue savonneuse, l'autre piquée de poils noirs, sort de la salle de bains.

— Blanche, écoute-moi.

— Je suis là pour ça !

— Non ; j'ai à te parler sérieusement. Vois-tu, il ne s'agit pas du dîner. C'est beaucoup plus grave que tu ne le penses. La vieille est décidée à tout pour enlever la gérance à sa fille.

Mme Huchet se tait. Les affaires du bureau ne la concernent pas. Son mari se déplace à travers la pièce, lève une chaise, rabat un coin du tapis, s'approche de la cheminée, range une paire de ciseaux, dit sans se retourner :

— Les affaires vont mal. Nous n'y sommes pour rien : c'est la crise. Mais enfin, le personnel est bavard. Et puis, il y a ce coquin, Vaillant. Si Mme Lacassagne part, je la suis au bout de vingt-quatre heures.

Il entend sa femme marcher vers lui en traînant ses savates. Elle est tout contre son dos. Gêné par ce regard qu'il devine, il passe la main sur sa nuque.

Mme Huchet décide d'éclater. Les mots se chevauchent. Son mari approuve d'un hochement de tête. Oui, Mme Androuet est une vieille folle. Oui, il faudrait l'enfermer. Oui, il a sacrifié à l'affaire quinze ans de sa vie. Sa femme a raison. La fortune, les rentes. Le millionnaire américain qui allume son cigare avec un billet de banque. Qui lui a parlé du millionnaire ? Huchet se sent las. Volontiers, il renoncerait au dîner.

Sa femme termine sa phrase :

— Assez d'économies pour tenir pendant que tu cherches autre chose.

Assez d'économies. Assez d'économies. Elle ne sait rien. Mieux vaut tout lui dire.

— Blanche, si je perds ma place – tu n'es pas au courant, je ne voulais pas t'inquiéter – tu sais, le krach de la Bourse de New York, la chute des valeurs espagnoles, enfin, nous sommes ruinés.

Il se retourne et regarde sa femme en face.

Cela sent le linge sale et la pipe froide. Dépoitraillé, les cheveux en broussaille, Boulet, placier de son état, remplisseur de crachoirs, combleur de cendriers, éleveur de pellicules, feuillette le Petit Larousse, partie historique. "Néron" n'a que cinq lettres et "Caligula" huit. Il faut chercher ailleurs. "Attila" ? Six lettres seulement, et il en faut sept. Et puis, Attila était plutôt chef de barbares que tyran. Il faut chercher du côté de Rome. Boulet tend la main, choisit un volume. Sur le mur, son ombre compacte se plonge dans la lecture.

A Sainte-Geneviève, l'horloge sonne sept heures. Il serait temps de s'habiller. A travers la fenêtre, on aperçoit l'ondulation des toits. Quelque part par là, invisible, coule la Seine. Une deuxième horloge sonne l'heure, puis une autre. Chacune a ses intonations, ses sous-entendus. Sept heures, le glas : on enterre Paris. Sept coups, cantique : quarante rois en mille ans ont fait la France. Sept coups, tocsin : contre nous de la tyrannie. Un tyran en sept lettres ? Trajan ? Vespasien ? Faut s'habiller. Au loin, une cloche qu'on dirait d'argile égrène sept coups grêles.

Boulet sort un smoking. Le gilet se retrouve derrière une pile de livres. La cravate se terre sous l'oreiller. Les souliers paissent sur la commode, au milieu de bustes en plâtre. Caracalla ? Sylla ? Tibère ? La chemise est légèrement défraîchie. Tant pis.

Sur le mur, l'ombre tend les bras, lève les pieds, se plie, se redresse : Boulet s'habille. Soudain, il s'immobilise, un soulier à la main. Staline, Staline. Un tyran de sept lettres : Staline. Verticalement ça donne "sarbacane", tertiaire, et le fleuve n'est pas le Tage, comme il l'avait cru, mais l'Arno. Les mots se croisent comme des chevaux de cirque. Satisfait, Boulet décide d'aller prendre un vermouth avant de se rendre au dîner.

Sténodactylo, Germaine passe la journée à faire glisser son crayon sur le carnet pour s'installer ensuite devant la machine à écrire et taper les lettres d'affaires que viennent de lui dicter Mme Lacassagne, M. Huchet, et qui toutes se ressemblent : il suffit de connaître deux cents mots pour les comprendre et ne modifier que les chiffres.

Le travail terminé, Germaine peut bavarder ou s'armer d'une plume et écrire une lettre personnelle.

"Je viens m'excuser par la présente, s'applique-t-elle à calligraphier, de ne pas vous donner de mes nouvelles. La dernière fois que je suis allé vous voir..."

Elle hésite un instant et ajoute un *e* à *allé*.

Au bureau, on lui reproche son ignorance de la grammaire, et Boulet ne manque jamais de lui faire la leçon :

— Si l'auxiliaire est *avoir*, le participe passé s'accorde avec le complément d'objet lorsque celui-ci précède le verbe.

Germaine n'est pas très sûre du sort que la grammaire réserve aux participes que précède *être*. Mais elle sait bien tourner une lettre. Ce n'est pas avec l'orthographe qu'on écrit une lettre personnelle.

"Je profite d'un moment de liberté, trace-t-elle, pour vous faire quelques lignes."

Tricot est tiré de son immobilité par un bruit de porte qui s'ouvre. Dans l'encadrement, il aperçoit une silhouette féminine – robe mauve sur fond noir –, un visage au sourire engageant et figé, un regard fixe et langoureux. Tricot se précipite au devant de la grande patronne. Doit-il attendre qu'elle offre ses doigts à baiser ou faut-il lui tendre la main le premier ?

Mme Androuet s'assied dans un fauteuil et, la tête légèrement penchée, attend. Tricot avale sa salive, sa pomme d'Adam roule dans l'échancrure du faux-col ; il ne se décide pas à parler.

— Alors, monsieur Tricot, dit la patronne, ce n'est pas le travail qui manque en fin d'année.

Tricot, qui a passé toute la semaine à vérifier des additions, s'efforce de sourire.

— Non, madame, heureusement le travail ne manque pas.

— Et bientôt vous allez vous mettre au bilan, poursuit Mme Androuet.

A mesure qu'elle parle, le salon s'anime : cygnes, bergères et Amours, qui meublaient les lieux, les peuplent maintenant.

— Cela doit être bien compliqué à dresser, un bilan, dit Mme Androuet, et les pendeloques du lustre tintent en sourdine.

— Avec votre permission, madame – Tricot se sent rassuré –, le bilan exige une attention continue d'un bout de l'année à l'autre. Je procède ainsi. Je commence par faire toutes les opérations sur la machine à calculer. Ensuite, le crayon à la main – et Tricot tend le bras pour montrer comment il tient le bâtonnet – je vérifie chaque chiffre. Une fois que tout est vérifié, vous pouvez considérer, madame, que le gros de la besogne est fait. On calcule les reports, on balance les comptes, pour être plus sûr on revoit chaque poste, on compare les résultats, on procède à l'addition finale – un jeu d'enfant, madame, si j'ose m'exprimer ainsi – et on tire la barre. Le bilan est prêt.

Tricot a l'impression d'avoir parlé trop longtemps.

— Sauf erreurs ou omissions, ajoute-t-il à voix plus basse.

Mme Androuet le laisse s'épancher. Elle hoche la tête, place des : "Oui ! Très intéressant !", approuve en baissant les paupières.

— Un métier passionnant que le vôtre, dit-elle enfin, et une corde de piano résonne sourdement. Dites-moi, monsieur Tricot, à quel moment pensez-vous attaquer le bilan cette année ?

— En réalité, j'ai déjà commencé les travaux préparatoires. La vraie besogne débutera dès que j'aurai liquidé les comptes de fin d'année. Mettons, vers la fin février, explique Tricot non sans suffisance.

— Eh bien ! mon cher monsieur, j'ai une prière à vous faire. Dès que vous aurez un peu déblayé le terrain, venez me voir un jour en apportant tous vos dossiers. Venez en toute simplicité, un soir ou un samedi après-midi. Mais surtout n'oubliez pas vos papiers. Ça m'amuserait beaucoup de vous voir travailler. Alors, c'est entendu ?

Elle examine de biais le comptable :

— Je crois, dit-elle, qu'il vaut mieux ne pas en parler au bureau. Les gens sont tellement envieux. Et je n'invite jamais personne.

Un petit vent agite les bouquets de fleurs artificielles.

Tricot sait qu'il doit répondre. Sa pomme d'Adam lui laboure le gosier. Il ressent douloureusement le poids de son plastron, les bords aigus des manchettes.

— Depuis que je suis attaché à la maison, dit-il, je n'ai pas manqué une seule fois, pas même le jour de la mort de ma femme.

Soudain, il lève les yeux, gêné par le silence. A travers lui, sans même l'apercevoir, deux portraits promènent un regard indifférent, le grand-père sur le mur, la belle-fille dans un fauteuil.

Cette journée rappelle à Ginette, elle ne sait elle-même pourquoi, sans doute parce qu'elle a retrouvé dans le bas du miroir de la salle de bains le petit arc-en-ciel apprivoisé qu'elle a connu enfant, et qu'en ouvrant l'armoire à linge, elle a perçu cette flottante odeur de verveine et de décomposition qui accompagne dans ses souvenirs l'apparition de la mère, et que surtout à chacun de ses mouvements s'élève un bruissement de soie, cette journée lui en rappelle une autre, dix ans plus tôt, lendemain d'armistice, et sa première robe de soie, rose et froufroutante. Pour ses sept ans, grand-mère lui avait donné une poupée, et mère, une tirelire. La poupée était vêtue de rose, elle aussi, inutilement belle et lourde. La tirelire, massive et carrée, fut d'un usage incompréhensible jusqu'au jour où Ginette se rendit compte qu'on pouvait y accumuler des promesses de glaces et de chocolat. Au bout d'un mois, elle eut raison de la poupée qui, borgne, éventrée, prit le chemin de la loge où elle vécut, choyée passionnément par la fille de la concierge. La tirelire tint bon et présida à l'enfance de Ginette.

En entrant pour la première fois dans le bureau de sa mère :

— C'est ta tirelire ? interrogea-t-elle en montrant le coffre-fort.

Ce souvenir, bien d'autres encore, et la vie. Vivre ma vie ; Eric rirait bien s'il m'entendait dire ça, songe-t-elle, et à ce moment Mme Lacassagne entre dans sa chambre.

A l'issue de l'adolescence, on juge sévèrement ses parents, et Ginette n'admet pas qu'Irma ouvre sa porte sans frapper, mais elle n'ose pas le lui dire, préférant bouder en silence. Cette fois-ci, elle est d'autant plus irritée que sa mère l'a surprise devant la glace : inutile d'expliquer qu'elle est poussée moins par la coquetterie que par un désir subit de confrontation. Sans mot dire, elle va vers la table de toilette, prend la houpette et commence à se poudrer avec ostentation. Mme Lacassagne attend : presque toujours, en présence de sa fille, elle se sent gênée ; elle la soupçonne de préférer sa grand-mère, de rencontrer en cachette des garçons : la croyant chargée de secrets, elle ne la comprend pas et n'ose opposer aux silences et aux bouderies de Ginette que des remarques d'autant plus violentes que le sentiment qui les dicte s'exacerbe de recourir à pareils prétextes.

— On part bientôt, dit-elle. Tu es prête ?

— Oui, maman, répond Ginette.

Boulet termine son vermouth, sort du café, descend le boulevard Saint-Michel. Sur les pans de murs que la défense d'afficher protège contre les invites des cinémas et des grands magasins, une main inconnue a tracé à la craie : *Vive l'espéranto.* Les gouttières abritent les annonces de vieilles filles à la recherche de chiens perdus ou de leçons de piano. Les chapeliers et les bottiers étalent des feutres violets et des souliers en peau de reptile. Dans une devanture, un projecteur accuse la silhouette d'un polytechnicien : bicorne, tunique et pantalon, il ne manque que le corps et la tête.

Boulet entre dans une vespasienne. Les bruits du boulevard s'étouffent, les sonneries des tramways sont couvertes par le clapotis printanier de l'eau. A la lumière vacillante d'un bec de gaz, Boulet déchiffre les affichettes des divorces à crédit et

des médecins spécialisés dans les maladies véné-
riennes, entrelacées de professions de foi manus-
crites :" J'aime les grosses bites" ou "Vive l'Action
Française".

Les camelots du roi, on les reconnaît dans les
rues à leur voix qui mue, à leurs joues bouton-
neuses écorchées par un rasoir superflu. Mais
comment dépister l'ami de l'espéranto ? Est-ce ce
grand garçon maigre dont les yeux caves épient
les passants sous son large feutre noir ? Ou bien
ce vieux monsieur, officier de l'Académie, qui
trotte, un parapluie sous le bras ? Boulet s'arrête
devant les étalages des libraires. Après un coup
d'œil distrait aux nouveautés il se plonge dans la
contemplation de bouquins d'un merveilleux dé-
labrement. Il déniche, parmi des romans poli-
ciers, le chant six de *l'Iliade,* marqué, sur les
marges, par de successifs propriétaires et par les
mouches. Boulet sort deux francs et emporte le
volume.

A mesure qu'il s'approche de la Seine, l'air de-
vient plus humide. Des portes cochères, se détachent des pauvresses dont la perruque rousse est
surmontée d'une corbeille de fruits vieux de trente
ans ; elles ont de la dentelle aux poignets et sont
chaussées de savates. Une escouade de pompiers
remonte le boulevard, lancée vers les théâtres du
quartier. Boulet presse le pas. La place du Châtelet
l'accueille par des coups de trompettes, des sonneries électriques, des envols de bâtons blancs et des
ruées de piétons. Au coin, un garçon tête nue, un
éventail de journaux à la main, scande, comme s'il
récitait l'*Iliade* :

— *Demandez Paris-Sports, Paris-Soir,*
Paris-Sports, Paris-Soir, Liberté,
Résultat complet des courses,
Demandez Paris-Soir, Paris-Sports,
Dernière édition sportive.

Arrivé à la hauteur de la rue de Rivoli, Boulet tourne à gauche.

Eric passe deux heures à se faire beau pour ce soir, bien rasé, bien coiffé, bien armé. Surtout ne pas venir trop tôt. Ginette a dit qu'elle n'arriverait pas au dîner de sa grand-mère avant huit heures et demie et il ne veut parler à personne avant de l'avoir vue. Il est sûr d'elle, mais il lui faut l'entendre dire : oui.

Vingt-cinq ans de vie commune, les grossesses, la première dent du premier enfant, le voyage sur la Côte d'Azur, l'achat de la maison, la transformation du jeune scribe en directeur d'entreprise, de sa femme en madame la directrice, rien ne compte plus. Il ne reste que quelques valeurs et quelques bijoux. De même que chaque soir, depuis vingt-cinq ans elle a vérifié les comptes de la cuisinière, Mme Huchet additionne. Son mari trotte autour d'elle.

— Mais puisque je te dis que rien encore n'a été décidé. Il est plus que probable que je gagnerai la partie.

— Toi ? Est-ce que tu es un homme, toi ? Si j'étais à ta place...

Mme Huchet ne crie plus, et son mari se fait tout petit.

— Mon amie, regarde l'horloge. Nous devons partir si nous voulons arriver à l'heure. A moins que tu ne préfères rester.

— Rester ? Moi ? Nous ? C'est là ce que tu appelles gagner la partie ? Non, mon ami. Nous allons à ce dîner. Et rira bien qui rira le dernier.

— Eh bien ! partons.

— La voiture est là ?

— Elle est au garage. J'ai fait faire la vidange.

— Qu'est-ce que tu attends pour aller la chercher ?

— Je pensais que tu viendrais avec moi.

— Non, mon ami. J'ai des notes à prendre. J'aime voir clair dans l'avenir. Je descendrai d'ici cinq minutes. Attends-moi devant l'entrée.

Le garage est à trois cents mètres. Huchet avance lentement. A cette heure où l'on se met à table, la rue se peuple de personnages bizarres ; les uns vous demandent l'aumône, les autres ne vous demandent rien, et ce sont les pires.

— Gibier de rafle, grommelle Huchet.

Il allume une cigarette. Subitement il se souvient de ce qui lui est arrivé à midi. Il sortait du bureau et s'était appuyé contre un échafaudage pour allumer une cigarette.

— Il y en a une pour moi ? a fait une voix au-dessus de sa tête.

Assis à cheval sur une poutrelle, un homme le dévisageait, vêtu de la blouse blanche des maçons.

Confus de son mouvement de peur, Huchet lui a présenté l'étui ouvert. L'ouvrier y a plongé la main, une main carrée, imprégnée de poussière blanche, a saisi toutes les cigarettes et s'est relevé. Son étui vide levé en un geste absurde d'offrande, Huchet a regardé le maçon ; il lui arrivait à la hauteur des souliers, et cela le choquait presque autant que l'événement lui-même. L'ouvrier, le visage durci, semblait attendre quelque chose. Apparemment, son attente était justifiée. Ses traits se sont détendus en un sourire.

Il s'est penché de nouveau.

— N'aie pas peur, dit-il.

Il a ouvert le poing au-dessus de l'étui en y laissant retomber les cigarettes une à une.

A la dernière, il a souri encore et dit :

— Je ne fume pas.

Huchet est parti sans rien dire, mais à présent il s'en veut de n'avoir pas crié, appelé des agents, remis l'agresseur à sa place. De plain-pied avec lui, il aurait su se défendre : il en avait vu d'autres pendant la guerre. Mais on se trouve rarement face à face avec un ouvrier. Ces gens s'arrangent toujours de façon à monter sur une échelle, sur un échafaudage, sur un toit, ou à glisser sous les roues d'une voiture.

Le mécanicien se relève en essuyant ses mains poisseuses. La vidange est terminée. Huchet met ses gants, tire sur le démarreur et flanque un grand coup sur l'accélérateur comme si, entre sa semelle et la pédale d'acier, se trouvaient Vaillant, et Mme Lacassagne, et le maçon aux cigarettes, et le mécanicien qui s'en va en traînant au bout d'un fil de fer un bac débordant d'une huile noire, visqueuse, bonne à jeter.

Les Halles sont invisibles mais présentes. Tantôt elles suscitent, le long d'une rue, une lente procession de tombereaux chargés de carottes, tantôt elles lancent entre deux files de charrettes à bras un camion dont s'échappe un meuglement grave. Paris est ténébreux, tout en ruelles entortillées, en bâtisses borgnes et voûtées, en signaux vacillants des sens uniques et des maisons de passe.

Germaine marche précautionneusement : si elle a économisé le prix de son billet, ce n'est pas pour le dépenser en réparation de chaussures. Elle est partie de bonne heure ; on ne sait jamais ce qui peut vous arriver en chemin. Au lieu de descendre la rue Vieille-du-Temple et la rue de Rivoli, elle coupe par des passages étroits comme des couloirs qui s'ouvrent soudain sur des cours profondes où, sur les bornes, ou tout simplement en travers de la chaussée, des hommes, des femmes et des chiens mangent, se disputent, s'étirent ou dorment. Rue de Venise, rue Quincampoix. Germaine bute contre un corps, s'attend à des injures et recueille un aboiement. Le boulevard Sébastopol la reçoit dans l'animation factice de ses tramways et de ses prostituées. Elle presse le pas.

Huchet aperçoit de loin la silhouette de sa femme, plantée devant l'entrée de la maison.

— Tu as assez d'essence ?

— Oui, et il démarre.

Pour conduire, il a des gestes mécaniques, réglés comme le ralenti de son moteur. Il freine aux croisements. Sa femme lui dit :

— Corne, mon ami, corne.

Il a déjà la main sur le bouton du klaxon. Ce n'est pas lui qui fera des excès de vitesse pour gagner trois minutes sur un trajet d'un quart d'heure, au risque d'abîmer la voiture. Depuis des années il n'a pas eu de contraventions ; faute d'accidents, et grâce à l'aide d'Anxionnaz, la compagnie d'assurances lui a réduit sa prime de quinze pour cent.

Tout le long des grands boulevards, les lumières montent, les cinémas se succèdent, la foule déferle. Au ras du col, derrière des vitrines où viennent s'écraser des visages de marionnettes, chevauchent pêle-mêle hommes d'Etat et artistes de cire souriants, sacs en serpent, en requin, en crocodile, souliers vernis, Amours et Psychés en plâtre, briquets, bouteilles de liqueur, poires vaginales, cravates, immense guirlande lumineuse coupée par endroits de blocs d'ombres : les banques.

— C'est Paris, dit Huchet, et il lève la tête.

En bordure des gouttières, vers l'Opéra, vers la Madeleine, galope l'alphabet en folie. Vert, jaune, blanc, rouge, il ordonne, suggère, persuade aux marionnettes qui s'agitent vingt mètres plus bas, de boire du cacao, de manger des oranges, de fumer des cigares, de visiter l'Espagne, l'Ecosse, l'Egypte, de faire le tour du monde. Un fleuve de feu baigne les toits.

En bas, ahuries par tant de conseils, confuses devant trop d'offres, les marionnettes font trois petits tours et s'en vont, qui au cinéma, qui à l'hôtel, qui à la dérive.

Ginette conduit d'une main d'homme, une main gantée de peau de porc, à quarante à l'heure dans les tournants, à quatre-vingts sur les quais, se faufilant entre les voitures, fonçant sous un autobus, bloquant les freins contre le bâton blanc de l'agent.

Sa mère se tait. Elle est installée au fond et, dans le rétroviseur, Ginette l'aperçoit qui, la bouche en lame de couteau, fixe du regard ses genoux, ou peut-être ses mains.

L'auto débite les rues d'Auteuil, rectilignes, plantées d'arbres jumeaux, bordées de maisons cossues. Les volets sont clos, les portes fermées. Le bruit des pas est rare et le chuintement, sur l'asphalte, des pneus de véhicules, tous noirs, tous élancés, comme s'ils sortaient d'un commun distributeur, munis de leurs trois feux et de leurs quatre plaques réglementaires, ne trouble point les sommeils, les digestions, les parties de bridge.

Mme Lacassagne ajuste ses souvenirs. Cette commande de Suède, de combien est-elle au juste ? Elle devra se renseigner auprès de Huchet. De toute façon, il n'en sera pas question ce soir. Personne ne parlera de rien de sérieux. Des allusions ? Peu probable. Il n'y a qu'à faire semblant de n'avoir rien compris. Elle peut se reposer jusqu'à lundi, date fatidique du procès de sa mère. Dans le rétroviseur, elle aperçoit le visage de Ginette, les lèvres serrées, le regard fixe.

Au passage de la voiture, des ombres se détachent des portes cochères, prennent forme humaine, se garnissent de pèlerines, de képis, de moustaches.

La rue est chargée de gens comme une gousse de pois. Lucien, Jacquou et Toto, fils du fripier, jouent aux billes sur le trottoir. Un flot humain s'engouffre dans les bouches du métro. A l'arrêt du tramway, Mailloche, mécanicien, attend Georgette, caissière. Des têtes se pressent aux fenêtres. La mère Michel, concierge, court après son chat. Cela sent la friture et le pot-au-feu. Mme Vavasseur, marchande des quatre-saisons, solde ses derniers oignons. Vaillant, employé, descend la rue des Couronnes. Il a tellement pensé à ne pas venir trop tôt que maintenant il est en retard.

Une main tendue devant lui l'arrête. Son regard remonte le long de la manche effilochée, contourne deux trous et une pièce rapportée pour se fixer sur une figure flasque, sillonnée de petites rides.

— Monsieur, dit l'homme, je suis sans travail depuis six mois. Pas couché, rien à manger.

Vaillant tire une pièce de dix sous.

— Mais je ne suis pas un monsieur, dit-il.

Le mendiant se tait si longuement que Vaillant s'aperçoit qu'il a les yeux de couleurs différentes, l'un bleu et l'autre brun. Les deux hommes sont là, face à face, silencieux, bousculés par la foule. Enfin, le vieillard se décide à parler. Il plisse les paupières et toutes les rides de son visage se mettent en mouvement, comme remuées par une lame de fond. Mais il ne fait que répéter :

— Vous êtes un monsieur.

Des rideaux de fer tombent sur les devantures, et déjà retentit la sonnerie des cinémas. Des filles en cheveux, le cou serré de lapin teint, montent la faction au coin des rues. Casquettes, bérets, écharpes de soie artificielle, entrouvertes sur un bouton de cuivre. Des femmes, leur nouveau-né sur les bras, s'en vont au cinéma toucher leur part de cacahouètes et du plus bel amour à rêver. Dans cette foule, chacun est marqué de signes indélébiles, de poussière de charbon sous les yeux, de cambouis aux doigts, de tuberculose aux poumons. La rue est bondée de gens comme un chargeur de cartouches.

Les invités arrivent presque en même temps. Boulet monte l'escalier lorsque Vaillant, débouchant au carrefour, aperçoit la voiture de Ginette qui se range derrière celle de Huchet dont la portière en s'ouvrant frôle Germaine. Eric lève la tête. Au-dessus de Paris s'écrase un ciel bas et rouge.

Roger recueille pardessus et chapeaux. Il y a un moment de silence. Tout le monde se connaît, on se serre donc la main. Les hommes rectifient cravate et coiffure, les dames se passent les doigts sur les cheveux, tirent sur leur robe et, discrètement, dissimulent une bretelle.

Les manteaux sont accrochés. Roger ouvre la porte du salon. Les invités font leur entrée. Sur le seuil, ils marquent un temps d'arrêt. Jamais ils n'ont senti si fort l'inutilité de leurs bras ballants. Seul Boulet, qui s'est fourré les mains dans les poches, se sent à son aise.

Mme Androuet vient vers eux.

— Que c'est gentil d'être venus, fait-elle sur un ton étonné et ravi. Et tous ensemble ! Bonjour, Irma, tu as mauvaise mine aujourd'hui. Je parie que vous vous êtes donné rendez-vous dans l'escalier. Comment allez-vous, madame Huchet ? Et vos filles ? Toujours aussi braves ? Vous pouvez en être fier, mon cher Huchet. Je commençais à m'inquiéter en ne vous voyant pas arriver. Ginette, mon enfant, viens que je t'embrasse. Heureusement que M. Tricot m'a tenu compagnie. Bonjour, mon petit Vaillant, vous allez bien depuis l'autre jour ? Que dites-vous du temps, monsieur Boulet ? On dirait le début de l'automne. Je suis contente que vous soyez venue, vous aussi, mademoiselle.

Germaine rougit et bredouille son nom. Mais déjà la maîtresse de maison est loin. Elle se déplace avec dextérité parmi les meubles et, à sa suite, les invités se répandent à travers la pièce comme un troupeau dans un pré.

— En effet, le temps se maintient au beau, dit Huchet en s'adossant au piano.

— Les journaux disent que cela va durer, confirme Boulet.

— J'ai presque regretté d'avoir emporté ma fourrure, renchérit Mme Huchet. Enfin, il fera plus froid pour revenir.

Voilà la conversation engagée. Mme Androuet part en tête, prenant soin de promener un regard vague de siège en siège pour que chaque invité ait l'impression qu'elle lui a adressé la parole.

— Tu sais, Irma, cette pauvre Denise Rameau est venue me voir. Tu l'as rencontrée un jour ici.

— Oui, dit Mme Lacassagne.

— C'est la sœur du directeur de la Banque nationale.

Et, baissant la voix :

— Elle n'a vraiment pas de chance avec son mari. Oh, les hommes ! N'est-ce pas votre avis, madame Huchet ?

Mme Huchet, qui était en train de dévisager avec désapprobation Tricot et Germaine, adresse à la maîtresse de maison un sourire désabusé.

Germaine examine à la dérobée la toilette de Mlle Lacassagne, et la robe qu'elle a l'intention d'acheter lui fait déjà moins envie. Elle se demande si elle a bien fait de se mettre du rouge aux lèvres.

Tricot se tait. A chaque phrase qu'il entend, il se force à trouver une réplique, mais lorsqu'il a fini de tourner sa réflexion, il s'aperçoit que les autres ont changé de conversation. Il admire M. Huchet qui, lui, parle avec autorité, à temps, sans préparer ses phrases. Il l'entend raconter comme si elle lui était arrivée la veille une histoire qui a paru dans les journaux du mois précédent, et le sentiment d'envie ne fait que croître en lui. Germaine, elle aussi, ne lâche pas Huchet du regard.

Vaillant se tait. Il a l'air absorbé par l'examen des bibelots. Il en prend un, le soupèse, le contemple de face et de profil, et après l'avoir remis à sa place, fait un pas de plus, en saisit un autre. D'une démarche nonchalante, il traverse un espace vide et tombe en admiration devant une miniature posée sur un guéridon. Il se penche pour mieux voir.

— Ginette, j'ai un mot à te dire, murmure-t-il.

Ginette examine à son tour la miniature. Vaillant reprend son voyage.

— Cette curieuse coutume, continue Boulet, date du Moyen Age, sinon plus tôt. Pourtant, on rencontre encore dans les villages des bonnes femmes...

— C'est exactement comme au Maroc, l'interrompt Huchet, où les indigènes...

— Les vieilles paysannes y croient dur comme fer, conclut Boulet.

Tricot s'agrippe à sa chaise et s'arrête de respirer. Des profondeurs de sa gorge il sent monter un éternuement.

— C'est bien curieux, ces anciennes coutumes, dit Mme Lacassagne.

— Et remarquez que ça a son côté utile, place Huchet. C'est ce qui fait la force de la France.

Tricot se lève et penche la tête en arrière. Il est fin prêt, une main posée sur le mouchoir. Pour son malheur, un petit silence se forme, s'enfle, éclate : Tricot éternue.

— On a beau dire, mais les soirées sont humides, enchaîne l'hôtesse.

Le comptable jette autour de lui un coup d'œil implorant. Mais personne ne lui adresse une des phrases consacrées : A vos souhaits ! ou : Dieu vous bénisse ! ou : Jupiter vous conserve ! Il se rassied et se fait tout petit pour offrir moins de prise au mauvais sort.

— Grand-mère, je ferme la porte du fond ?

Et Ginette se lève, tandis que la conversation, alimentée de courants d'air, repart de plus belle.

Mme Huchet examine Ginette de la tête aux pieds. Elle la trouve jolie, mais vulgaire et prétentieuse, et surtout trop fardée. Comme une actrice, se dit Mme Huchet, et elle songe à son aînée, Caroline, qui, elle, n'oserait jamais adresser la parole à un jeune homme en présence de sa mère.

— Tu pourrais t'abstenir de me tutoyer devant tout le monde, dit Ginette en examinant avec intérêt le portrait de son grand-père.

Eric dispose sur le dessus du piano trois bergères en porcelaine et une quatrième au milieu.

— Comment faire, dit-il, pour te parler ?

Le grand-père a des favoris blancs, un front ridé et une signature rouge au ventre.

— Attends, dit la petite-fille, j'essaierai de m'arranger tout à l'heure.

— Je dois te parler tout de suite.

— Impossible. Mme Huchet nous regarde.

— Je m'en fiche.

— Pas moi.

— Ginette !

— Et son frère a été officier de cavalerie, conclut Huchet.

Tricot prépare une réplique, mais déjà Mme Androuet parle de vocation. Le comptable ravale sa phrase.

— La vieille est très aimable ce soir, chuchote à son mari Mme Huchet, et tournant la tête d'un mouvement saccadé, elle scrute les visages d'un œil d'oiseau, rond et suspicieux.

— Tricot, dit tout haut Huchet, j'ai un mot à vous dire. Vous m'excusez, chère madame.

Il fonce le long du couloir, derrière lui trottine le comptable. Le directeur s'arrête brusquement et fait demi-tour.

— Dites donc, Tricot !

— Oui, monsieur.

— Vous ne pouviez pas mettre de smoking pour venir ici ? Je vous avais pourtant prévenu qu'on s'habillait ce soir.

— C'est que, monsieur Huchet...

— Je vous l'avais dit, oui ou non ? De la tenue, de la tenue, que diable ! Je ne veux pas rougir de mes employés.

C'est Tricot qui rougit.

— C'est que, reprend-il, je n'ai pas...

— Vous n'avez pas pensé à ça. Toujours la même histoire.

— Si, si, proteste Tricot, et l'inflexion de sa voix force Huchet à se taire. Si, j'y ai songé.

— Ce n'est pas la première fois que vous venez.

— L'année dernière j'étais au lit.

Et le comptable termine presque en criant :

— Seulement je n'ai pas de smoking.

Il marmotte quelques paroles.

— Vous dites ? Huchet fait mine de se radoucir.

— Jamais eu de smoking, débite Tricot à toute allure. Même pour me marier, j'avais ce complet. Le même.

— Et, sans doute, la même cravate ? raille Huchet, et il pince la soie graisseuse de la cravate entre le pouce et l'index. Eh bien ! qu'allons-nous faire ? poursuit-il du même ton qu'il prend pour demander au bureau : Vous n'avez pas encore songé à convertir les livres en francs ?

— Je ne sais pas.

Tricot ne sait rien, sauf que le corridor est long,

mal éclairé et que tout près, on entend le clapotis des cabinets.

— Vous ne pouvez pas vous mettre à table comme ça, décide Huchet. Il faut trouver autre chose.

Tricot sourit sans conviction. Il pense à Simone, sa fille, qui est venue de Clamart tout exprès pour l'aider à s'habiller.

— Ça y est, s'écrie Huchet. Attendez-moi. Je reviens à l'instant.

Le comptable songe à ses dépenses mensuelles. Il repasse les chiffres dans sa tête. Est-ce qu'il y aurait place là-dedans pour un smoking ?

Huchet apparaît à l'extrémité du couloir. Du bout des doigts, il tient un nœud noir.

— Roger en avait un de réserve, dit-il. Maintenant ça ira. Changez de cravate et enlevez le gilet. Avec le veston noir, la chemise empesée et ce nœud, tout le monde croira que vous avez un smoking.

Il a un rire bonhomme pour ajouter :

— Vos revers brillent assez pour donner le change.

— Non.

Tricot ne bouge pas. Huchet est stupéfait.

Le comptable blêmit et répète :

— Non ! Je ne peux pas enlever mon gilet.

— Pourquoi pas ? Quelle blague !

— C'est absolument impossible !

Tricot va jusqu'à hocher la tête d'un mouvement décidé.

Le directeur prend une bonne grosse voix comme pour morigéner un enfant :

— Voyons, voyons, ne dites pas de bêtises. On doit nous attendre pour se mettre à table.

Flanqué contre le mur, les mains pressées contre la poitrine, Tricot remue la tête, obstinément, sans mot dire.

— Ne faites pas d'histoires.

Huchet tend le bras et Tricot recule.

— Monsieur Huchet, finit-il par dire, donnez-moi ça – il indique le nœud –, je me change moi-même.

Huchet cède. Le comptable fait quelques pas rapides et disparaît derrière la porte des cabinets. Enfin seul. Il enlève son veston, son gilet, dénoue sa cravate. Dehors, le directeur s'impatiente.

— Vous êtes bientôt prêt ? crie-t-il à travers la porte ; et ne recevant aucune réponse : Dites, Tricot, ne seriez-vous pas un peu...

Le mot "fou" ne franchit pas ses lèvres. Et si c'était vrai ?

— Mon cher Tricot, dit-il d'une voix plus douce, vous êtes prêt ?

Un déclic, et la porte s'ouvre. Tricot apparaît. Il a tout remis, mais autour du cou, pas la moindre trace de cravate. Il la tient, chiffonnée, à la main. Immobile, le bras tendu, sur un fond de tuyauterie et de poignées, il remue les lèvres, avale sa salive.

— Je ne sais pas, dit-il en détachant les syllabes. Je ne sais pas le faire.

Le directeur est heureux de se rendre utile. Il saisit le nœud, l'agite en l'air d'un geste de prestidigitateur et le passe au cou du comptable. Il mesure les deux extrémités, en tire une, et du bout des doigts finit de nouer le papillon.

Tricot se tient raide, le menton en l'air, la pomme d'Adam saillante, les lèvres serrées.

Huchet fait un pas en arrière, examine son œuvre en fermant un œil, désapprouve, délie, recommence et, tout à son travail, déboutonne le veston du comptable et en écarte les revers.

Alors Tricot commence à rougir. Il s'empourpre lentement, le sang afflue à ses joues, circule sous la peau du front, emplit le cou, teinte les oreilles. Ce que Huchet avait pris pour une chemise empesée est un écusson de toile plat avec des faux plis, de fausses boutonnières et une languette dans le bas. Le plastron est fixé avec de grosses épingles de nourrice à un épais vêtement de laine mauve. Les bretelles sont entourées, sur chaque épaule, d'une ficelle dont l'extrémité disparaît dans la manche du veston.

Le comptable a un petit rire grinçant, comme si on le chatouillait.

— Ça sert à tenir les manchettes, explique-t-il, et il continue à rioter.

Vaguement honteux, Huchet passe la main sur l'épaule mauve du comptable.

— Pas mal, fait-il. Un tricot maison, sans doute ?

Et il éclate de rire à son tour.

En s'approchant du salon, Huchet tressaille. Une voix parvient à travers la cloison. La voix de sa femme, sèche, pointue, familière, qui ne présage rien de bon. Oubliant la présence de Tricot, Huchet pousse la porte. Il entre juste à temps pour entendre l'hôtesse dire :

— Mais, ma chère madame Huchet, vous m'avez mal comprise.

— Je vous ai bien comprise, fonce Mme Huchet.

— Imaginez-vous, dit Huchet en avançant d'un pas.

Il promène le regard sur les invités, note l'expression amusée de Ginette, celle impatiente de Mme Lacassagne, et répète :

— Imaginez-vous !

A présent, tout le monde le regarde, et Huchet croit entendre le bruit de sa propre respiration.

— Imaginez-vous, fait-il pour la troisième fois.

A ce moment, un halètement s'élève à ses côtés. Il tourne la tête, et la silhouette du comptable se dessine dans son champ visuel.

— Nous venons d'avoir avec M. Tricot un petit entretien personnel.

Tricot fixe sur lui un regard implorant : il a l'expression d'un homme qu'on va déshabiller en public et qui s'imagine ses poils grisonnants, ses pieds sales.

— Je croyais – Huchet marque un temps – qu'il avait oublié une commission dont je l'avais chargé, mais il se trouve qu'il s'en est très bien acquitté.

Il contemple l'employé avec bienveillance.

— Comme toujours, conclut-il.

Un bruit de gargarisme s'échappe de la gorge du comptable : M. Tricot rit. Huchet traverse le salon. Il complimente l'hôtesse sur sa robe, rappelle à Boulet les qualités de l'absinthe d'avant-guerre, glisse en passant à sa femme : "Tais-toi !" sur un ton tel que Germaine qui l'a entendu frémit et que Mme Huchet éprouve une envie subite de pleurer. Il se plante devant Vaillant, l'interroge à voix basse :

— Vous connaissez la définition du comptable ?

Et, sans attendre la réponse :

— C'est un employé à qui l'administration fournit la table et qui se charge de fournir le reste.

Il n'a pas été brillant, et il le sait, mais l'essentiel est fait : une marée montante de paroles où flottent cousins, domestiques et militaires déferle sur la pièce et se répand en clapotements dans les coins.

Ce soir, pense Vaillant, le bureau est censé ne pas exister. Convention tacite. Dix personnes – parents et connaissances – réunies pour dîner. Evidemment, Germaine et Tricot qui ne savent pas où se fourrer tranchent sur l'ensemble. Sans bureau ils ne seraient pas là. Moi-même, on ne me laisserait jamais dépasser la cuisine. Mais puisque bureau il y a, allons-y. Boulet pousse son couplet : souvenirs de guerre. Ensuite ce sera le tour de Mme Huchet : les enfants d'aujourd'hui.

Chacun sa spécialité. Et on reprend le refrain en chœur.

— Je vous assure, déclare Boulet, et c'est tout à fait sérieux ce que je vais vous dire, je vous parle de l'avant-guerre, on était parfois embêté, ennuyé, eh bien ! une absinthe grenadine dans un grand verre, ça vous faisait quelque chose, le soir, en rentrant du travail.

Oh ! ce que cela peut exister, le bureau. C'est lui qui commande le sourire doucereux de l'hôtesse, les hochements de tête du directeur, le choix de la robe de sa femme. Et la tenue de Vaillant. "Vous êtes un monsieur", à en croire le mendiant.

Eric revoit sa table, à côté de celle de Boulet. Au beau milieu, un pot de colle. Mes employés et moi, aime dire Mme Lacassagne, nous faisons une grande famille. Il la hait, la mère de Ginette, les lunettes qu'elle met pour travailler, sa collerette de tulle, les carotides flanquées de deux baleines, son faux air d'institutrice pour jeunes filles de bonne famille. "Colle de bureau extra-forte parfumée." Vraiment extra-forte, et combien parfumée.

Mme Androuet se tait. Elle sourit avec bienveillance. Les remarques des invités s'espacent comme des cercles sur l'eau.

Roger passe la tête entre les battants de la porte. Son habit est lustré aux coudes. Ses joues couperosées reposent dignement sur un col de marbre. Vingt-cinq années de courses et d'antichambre n'existent plus.

— Madame est servie, dit-il, et aucun muscle de son visage ne bouge.

Il tire le rideau, et la salle à manger apparaît au fond.

La table est longue, aux extrémités arrondies. La nappe et les serviettes étincellent, l'argenterie davantage, la verrerie plus encore. A chaque place, une assiette à potage posée sur une assiette plate. Des deux côtés, un choix de fourchettes, cuillers et couteaux. Au-delà, un verre à bordeaux, un verre à bourgogne, un verre à eau, une coupe à champagne et un carton avec le nom de l'invité. En haut, Mme Androuet. A sa droite, Huchet, sa femme, Vaillant, Mme Lacassagne. A gauche, Ginette, Boulet, Germaine et Tricot, soit tous les membres de la famille et le personnel du bureau au complet.

Roger sert déjà le potage avec une adresse et une légèreté exemplaires.

— C'est du quoi ? s'informe Boulet, curieux.

— Consommé madrilène, chuchote Roger.

Eric cherche du regard, évite Mme Lacassagne à sa droite, Mme Huchet à sa gauche, s'efforce de rencontrer les yeux de Ginette, mais elle les baisse.

— Imaginez-vous, s'écrie Mme Huchet, comme si elle allait faire part d'un événement, peut-être triste, peut-être joyeux, mais en tout cas important, que je n'ai pas encore retrouvé la clé de mon appartement.

— Quelle clé ? s'informe l'hôtesse.

— Ma clé de la porte d'entrée que j'ai perdue voilà trois jours.

— C'était une clé comment ? se renseigne Boulet.

— Une clé ordinaire, répond Mme Huchet en s'adressant à Mme Androuet. Une clé en acier. Ou peut-être en fer. Enfin, en métal, comme toutes les clés.

Tricot s'emplit d'air les poumons et lance :

— Une clé de plomb empêche les revers de fortune.

Pour s'être longtemps tu, il a presque crié. Tout le monde se tourne vers lui. Un silence se fait, le comptable se sent examiné, jugé, condamné. Il se recroqueville.

— Vous dites ? interroge Huchet.

— Je voulais dire... A propos de clé.

— Oui, eh bien ?

— Que si l'on possède une clé de plomb, de plomb comme les petits soldats, vous savez.

— Oui, oui, je sais, dit Huchet.

Tricot croit entendre derrière lui un rire étouffé.

— Alors, voilà, ça empêche, oui, les revers de fortune, poursuit-il à voix basse. C'est un moyen sûr, croyez-moi, sûr et infaillible. Un moyen préconisé par tous les hommes d'expérience, murmure-t-il, oui, d'expérience.

Il s'aperçoit qu'il parle pour lui seul.

Vaillant le quitte du regard, examine prudemment à sa droite Mme Lacassagne en se demandant pourquoi elle a été reléguée à l'extrémité de la table.

Il tourne les yeux vers Ginette.

Après leur première rencontre, il s'était attendu à une lettre, peut-être un coup de téléphone au bureau. C'est Huchet qui serait bien étonné. Je ne lui dirais rien. Il le saurait par Roger, me poserait des questions. Indifférent, je confirmerais. Déjà, il voyait Ginette arriver au bureau.

— Vous venez voir madame votre mère ? s'informait Roger, respectueux. Elle est justement sortie. Peut-être M. Huchet pourrait...

— Non, disait Ginette.

Elle faisait durer le plaisir. Roger se perdait en conjectures.

— Je viens voir Eric Vaillant, disait Ginette, c'est-à-dire qu'elle annonçait : Je viens voir Eric, et se rattrapait : M. Vaillant.

Etonnement de Roger, curiosité de Germaine, stupéfaction de Huchet.

— Par ici, mademoiselle.

Ou bien :

— Je vais l'appeler.

— Ce n'est pas la peine, indiquez-moi le chemin.

De sa place, Vaillant entendait le bruit de la porte d'entrée, des voix dans l'antichambre. C'était une lettre recommandée.

En trois semaines, il passa de l'attente à l'abattement, au désespoir, à l'apathie. Tantôt il s'efforçait de revoir Ginette dans son imagination, ne réussissait pas, s'accrochait à son papillon de tulle blanc. Tantôt il décidait de l'oublier pour de bon. Il osa en parler au bureau avec des ruses que, Peau-Rouge, il avait eues à quatorze ans du côté de Sceaux-Robinson et qui auraient seules suffi à le trahir si quelqu'un y avait pris garde. Il devait en parler, il était amoureux. Il devait se taire, il aima.

Il n'avait plus le courage de rentrer chez lui, le soir. Jamais il n'avait été si seul. Il marchait dans Paris des heures entières, tantôt aveugle, tantôt épiant les passants pour surprendre d'incompréhensibles bouts de phrases qui ouvraient des échappées sur des vies.

Une femme consolant doucement une fillette en larmes :

— Ne fais pas ça, ma petite cocotte chérie. Je vais aller te chercher la lune.

Un monsieur expliquant à sa compagne :

— Il y a vingt-six mille cent soixante-trois aliénés dans le département de la Seine.

Deux jeunes gens, l'un dit à l'autre :

— Ça me ferait quelque chose d'arracher une dent à une femme que j'aime. Ça ne m'est pas arrivé, mais je n'aimerais pas ça.

Eric s'engageait dans ces clairières, mais au bout se tenait toujours Ginette. Un jour, dans le métro, il se trouva assis en face d'un couple : un soldat qui serrait dans sa patte de paysan la main rongée d'eau de vaisselle d'une bonne en coiffe bretonne ; ils se taisaient, ne se regardaient même pas ; derrière eux, sur la cloison, un lit pour deux, un réchaud à gaz, un phonographe, une machine à coudre, une inscription : "Deux ans de crédit." Eric les envia, oubliant que huit mois plus tôt il s'était défait en hâte des fauteuils où traînaient de médiocres souvenirs, du lit où ses parents avaient dormi ensemble. C'était le passé, le lit couleur d'espoir de l'affiche était vierge, lui.

Il noircissait encore ses bottines à l'encre, lessivait ses cols, dans l'attente de la rencontre, mais il songeait moins à calculer ses calories. Sa misère était réelle, faite de gros pain et de petits-suisses, et, comme le jour il était trop pris ailleurs, elle se glissait dans ses rêves. Il voyait en songe qu'il trouvait de l'argent devant une caisse de métro. D'abord un sou, un peu plus loin deux sous, et puis un franc, deux francs. Tout d'un coup, il y avait de l'argent partout, et plus il en ramassait, plus il y en avait. Il était sur la plate-forme d'un autobus, son voisin sortait du gousset des pièces de quarante sous toutes neuves, c'est la fortune, pensait-il, quand je serai grand j'en aurai autant. Il n'avait pas d'argent pour prendre le tram et arrivait toujours en retard à l'école. Le chemin qui y menait était tout droit et le tram le suivait. Il arrivait toujours à l'heure au bureau, trouvait la porte fermée, il fallait sonner, se faire inscrire. Vaillant se réveillait en sueur, angoissé, entrevoyait son rêve avec soulagement, l'égarait aussitôt, l'angoisse revenait, Ginette avec elle ; réveillé pour de bon, il se réfugiait dans ses contes en dormant debout.

A la fin du mois, M. Huchet le réveilla pour l'envoyer de nouveau à la banque Isnard et de là, chez Mme Androuet.

— Surtout faites bien attention que les billets soient neufs !

Ce fut Ginette qui lui ouvrit la porte. Il ne sut que dire tant il lui avait parlé en son absence.

— Tu avais dit qu'on se reverrait, balbutia-t-il.

— Et qu'est-ce que nous sommes en train de faire ?

Elle sourit. Une vague de reproches souleva Eric.

— J'avais cru, dit-il, et ce fut tout.

— Je n'étais pas à Paris, dit Ginette. J'étais souffrante.

Une nouvelle vague arrivait, une vague de remords qui se brisa à son tour.

— C'est grave ? dit-il, prêt au pire, à une opération, à la tuberculose.

— Un rhume, répondit Ginette, ou assimilé.

Du mois de séparation et de désespérance, il ne restait rien, comme d'un cauchemar ne subsiste, au matin, qu'un lit défait. Elle n'avait donc pas agi exprès. Elle est venue ici aujourd'hui pour me voir.

Bouleversé de reconnaissance, il dit :

— Comment savais-tu que j'allais venir aujourd'hui ?

— Je ne savais pas.

Elle l'aurait deviné ?

— Mais tu es là.

— Oh ! je passe chez Tine presque tous les jours.

La honte, à son tour, envahit Eric, il se tut. Ainsi, en moins de trois minutes, il avait éprouvé successivement, mais avec la même intensité, la rancune, le remords, le triomphe, la honte et l'espoir parce qu'une jeune fille l'avait oublié, s'était enrhumée et voyait souvent sa grand-mère.

Ce fut elle qui parla la première :

— Que fais-tu vendredi soir ? Je voudrais t'emmener chez des amis à moi.

Il s'empressa d'accepter.

Ginette aimait fréquenter Claude et sa bande. Leurs entretiens et leurs préoccupations la surprenaient. Elle s'installait dans un coin et prêtait l'oreille. Ils semblaient fort instruits et parlaient politique.

Ginette et Claude se connaissaient depuis toujours, au gré des fêtes d'anniversaires et sauteries d'enfants qui étaient l'expression, sur le plan familial, des rapports entre la banque Isnard et les établissements Androuet-Lacassagne. Ils n'avaient jamais été amis : lui, voulait toujours être le grand chef, sans être le plus fort, et évitait les défaites en se vantant de ses maladies. Il était procédurier, la partie se terminait en discussion dont il sortait toujours vainqueur, à la rigueur il faisait intervenir telle interdiction de ses parents. Une fois, un garçon disposant, au service d'un esprit simple et droit, d'une paire de poings bien emmanchés, envoya à Claude une gifle qui venait du cœur. Claude saigna du nez, pleura, mais au lieu de sombrer dans le mépris général, geignit, singea si bien sa mère, cita d'une façon si impressionnante les paroles de son médecin, que les enfants eux-mêmes exigèrent de l'assaillant confondu des excuses que celui-ci ne fut que trop heureux de voir accepter après dix minutes de supplications collectives.

A huit ans, Claude avait failli mourir d'une coxalgie : sa mère l'adora. A douze ans, il ne savait pas nager, possédait tous les jeux et une bibliothèque de cinq cents volumes, le tout aseptisé au préalable. A dix-sept ans, il sortait tous les soirs, découvrant la vie dans les cafés du boulevard Saint-Michel, absorbant pêle-mêle le Pernod et Freud, les histoires marseillaises et Marx. Il finit par accepter une garçonnière avec entrée privée à l'étage supérieur du petit hôtel qu'il habitait avec sa mère. Celle-ci le dévorait d'un regard timide et reconnaissant.

A vingt et un ans, exempté du service militaire par faiblesse de constitution ou influence de la banque Isnard, Claude régnait sur un groupe de jeunes gens dont il était l'aîné et qui se moulaient sur lui. A des préoccupations constantes, ils super-posaient des engouements trimestriels dont chacun laissait des traces dans l'atelier de Claude. Il y avait là des gants de boxe dédicacés par Al Brown, la première édition de *Du côté de chez Swann*, dédicacée à Madame la Princesse de...., dont le nom avait été découpé ; deux sculptures nègres, l'une ancienne et fausse, l'autre authentique et moderne ; des plaques émaillées portant "Chien méchant", "Entrée interdite" et, au-dessus du divan où ils s'installaient pour discuter, "Contentieux" ; un buste de Marx, une affiche sous verre de la Commune de Paris, un autographe du marquis de Sade et, dans un tiroir, un châssis à papillons rempli d'échantillons de préservatifs et un revolver chargé d'une balle.

Claude prenait ses repas avec sa mère lorsqu'il ne mangeait pas en ville ; si elle se permettait d'inviter quelqu'un sans le prévenir, il faisait de son mieux pour scandaliser l'hôte à grand renfort de libido et de révolution permanente.

— Il est comme son pauvre père, il lit tellement, disait Mme Isnard.

M. Malphilâtre, l'ancien anarchiste devenu directeur de la banque Isnard, dodelinait de la tête, caressait sa barbe qui, trente ans plus tôt, à l'état de nature, était célèbre de la Villette à Montmartre.

— On veut épater, résumait-il. Avec toutes ces théories, votre fils est mille fois moins inquiétant qu'un ouvrier illettré en salopette et qui ne dit rien.

Il zézayait légèrement.

— Si ze n'avais pas ce lézer défaut, ze serais sans doute devenu un orateur fameux, et ze serais demeuré anarsiste. Ou plutôt ze serais devenu ministre. Mais comme ze prononce ze au lieu de ze, ze suis devenu directeur de la banque et z'ai appris à ne pas zacasser.

— Vous ne le dites pas pour me faire plaisir ? demandait Mme Isnard.

— Zamais, zamais ! Tenez, sère madame, voulez-vous parier que Claude finira par dirizer votre conseil d'administration ?

A l'étage supérieur, Claude relisait *La Sainte Famille*, d'Engels et Marx.

Il revit Ginette à un concert de musique moderne. Elle était jolie, riait de tout cœur, elle serait amusante à choquer. Il l'invita.

Le jeu de la vérité consiste à se réunir à plusieurs autour de petits fours et de rafraîchissements pour répondre avec une franchise totale aux questions que l'on se pose réciproquement. Il y entre de la déposition sous serment, de la consultation médicale et de l'exhibitionnisme. Ce jeu, que l'Eglise avait lancé il y a quelque dix-neuf siècles sous le nom de confession et qui, perfectionné et tempéré de restrictions mentales, allait exercer des ravages dans un milieu parisien restreint, ne pouvait manquer de séduire Claude.

Il aimait décrire les charmes d'une jeune fille chétive, diaphane, gencives pâles, tempes bleutées, peau crémeuse, parce qu'elle a grandi dans un sous-sol, sans soleil, sans air, dans un quartier ouvrier.

Claude s'extasiait :

— Et dire que la révolution ferait disparaître ce modèle.

Il gardait la parole pour conclure :

— J'ai connu une femme qui a eu son premier enfant à quarante-trois ans. L'accouchement a été difficile, mais au médecin qui l'assistait, elle a soutenu qu'elle n'avait que trente-cinq ans, préférant mourir faute de soins adéquats plutôt que de révéler son âge. Je ne me fais pas d'illusions, nous mentirons. Mentons peu.

Puis se tournant vers Ginette :

— Etes-vous encore ce qu'il est convenu d'appeler vierge ?

Ginette, qui n'avait jamais vu d'éclairage indirect sans parler du reste, croyait avoir changé de planète. Elle qui n'avait encore connu que l'ordonnance cossue des salons-salle à manger jumelés, que quarante rois avaient travaillé pendant mille ans à meubler – fauteuils Dagobert, chaises Henri-II ou buffets Louis-XV – subissait sans les juger les sièges en tubes d'acier et les murs peints en blanc. Flattée d'être la seule jeune fille présente, elle eut la prudence de ne pas manifester sa surprise. La question de Claude, d'une brusquerie calculée, lui coupa le souffle. Elle était tombée dans un guet-apens. Son premier mouvement fut de se sauver sans répondre. La curiosité l'emporta, et le désir de ne pas passer pour une gamine.

— Oui, dit Ginette en regardant Claude en face. Et vous ?

Dans son coin, Chantignole sifflota. Le jeu de la vérité s'annonçait prometteur.

— Non, bien sûr, dit Claude, mais il n'est pas question de moi.

— Pourquoi ? demanda Ginette.

Bientôt il apparut qu'il n'était pas davantage question de Chantignole ni de Racine. A trois, ils assaillirent Ginette. Claude menait l'interrogatoire avec la férocité d'un juge d'instruction, les autres profitant de ses silences. La beauté de Ginette justifiait toutes les curiosités.

— Votre virginité vous pèse-t-elle ?

— Moralement ?

— Physiquement ?

— Faites-vous des rêves érotiques ?

— Rêvez-vous d'incendies ?

— De vols ?

— Avez-vous aimé votre père ?

— Haï votre mère ?

— Vous a-t-elle nourri au sein ?

— Donné des lavements ?

Lorsqu'il eut terminé l'interrogatoire, Claude se leva pour lancer à Ginette :

— Je vous ramène.

Dans la voiture, il essaya de l'embrasser. Elle le gifla, pleura le reste du chemin, redevenue petite fille, dit en sortant de l'auto :

— Je vous hais.

Elle eut la chance de ne rencontrer personne, s'enferma chez elle, bouleversée, insomniaque, se jurant de ne plus jamais revenir chez Claude et sachant qu'elle y retournerait à la première occasion.

Prise en elle-même, la gifle de Ginette évoquait en Claude un mauvais souvenir d'enfance ; considérée comme un réflexe conditionné, elle n'était qu'un sujet d'analyse. Affriandé, il se promit de recommencer la séance, et sa décision fut gravement approuvée par Racine et Chantignole qui, sans en convenir, préféraient une fille vivante à l'écriture automatique.

Ce petit jeu où la vérité entrait pour une part infime dura plusieurs semaines. Claude et Ginette en étaient les seuls protagonistes. Il avait pour lui son intelligence, ses lectures, son amour de la provocation, elle, la curiosité et la beauté sarrasine. Racine et Chantignole jouaient le rôle d'un chœur renouvelé des tragédies antiques. Jamais la plaque émaillée où le mot "Contentieux" se détachait en noir sur blanc n'avait été autant à sa place qu'au-dessus du divan où quatre jeunes gens affirmaient complaisamment leur indépendance, leur mépris des conventions et leur supériorité intellectuelle sur des parents qui les faisaient vivre.

Choquée d'abord et flattée en même temps, redoutant surtout qu'on ne s'aperçoive que trop souvent elle restait sans comprendre, Ginette eut tôt fait, malléable comme elle l'était, de s'adapter à son nouveau milieu. Les lectures étaient superflues, que les citations remplaçaient. Point n'était besoin de pouvoir expliquer les termes dont on se servait, un peu d'oreille suffisait ; la relativité, la libido, même la plus-value avaient acquis un sens mondain qui dispense d'en savoir davantage. Lorsque Ginette apprit à détourner certains mots de leur sens habituel et en placer d'autres entre guillemets, son éducation fut parachevée, tout comme elle l'avait été, aux yeux de Mme Lacassagne, grâce au fameux cours Vaillant où, fillette, elle avait connu Eric. Mais les parents, sous ce rapport, sont toujours en retard d'une génération, comme les états-majors le sont d'une guerre.

Elle avait décidé de leur faire connaître Eric, dont les récits l'avaient impressionnée, se figurant que les autres le seraient également.

Ils étaient déjà tous là. Claude parlait. Chantignole le regardait, les yeux fixes, la bouche entrebâillée ; ses lèvres remuaient, de temps en temps il avançait la main gauche et faisait un petit mouvement des doigts comme pour attraper un peu d'air. Racine promenait devant lui son regard lourd en torturant ses mèches. Eric tourna la tête, précautionneusement, et considéra Ginette.

Elle lui sourit et serra les lèvres en indiquant Claude du regard. Eric la jugea différente, ferma les yeux, les ouvrit pour la revoir. Il resta ainsi à la guetter. Elle était tournée de trois quarts, attentive, les prunelles à moitié bombées et luisantes, deux petits traits creusés entre les sourcils légèrement incurvés à la racine du nez, rabattus vers les tempes comme des ailes ; un lent sourire, oublié sur la bouche, laissait voir les incisives, froides et bleutées.

La voix de Claude parvint aux oreilles d'Eric.

— La bourgeoisie, disait-il, est un participe passé qui s'accorde toujours avec le verbe avoir, jamais avec le verbe être.

Il se tut pour laisser aux autres le temps

d'apprécier sa définition, et Vaillant se surprit à regarder ses oreilles.

— C'est typique que justement "être" et "avoir" soient devenus des verbes auxiliaires, dit gravement Chantignole.

— En espagnol, dit Racine, il y a deux verbes être : *ser* et *estar*, et deux avoir : *haber* et *tener*.

Il se tourna vers Claude, qui observa :

— La philologie est souvent plus utile pour l'étude de la société que l'économie. Elle livre l'inconscient des classes, chaque expression consacrée par l'usage est un cas clinique.

— Les mots sont des rêves à expliquer, dit Racine, ses petits yeux brillants de plaisir.

Claude approuva. Ses oreilles, pensa Vaillant : elles le fascinaient.

— Tenons-nous-en à être et avoir, dit Claude, l'exemple type. Le vrai problème de la bourgeoisie a toujours été : avoir ou ne pas avoir. Mais pour se donner des prétextes métaphysiques, elle lui a substitué une amusette : être ou ne pas être. Hamlet a été le premier amuseur de la bourgeoisie. Chez les artistes, éléments essentiels du système de défense, l'inquiétude passait au premier plan, mais seulement dans la mesure où.

— Dans la mesure où quoi ? demanda Vaillant.

Chantignole et Racine échangèrent un regard qu'il surprit pour en rougir.

— Dans la mesure où l'on avait besoin d'eux, expliqua Ginette, moins charitable que désireuse de justifier Eric devant Claude.

Mais celui-ci :

— Dans la mesure où la défense devenait nécessaire.

Aussitôt Ginette en voulut à Eric.

— C'est ce que j'ai dit, répliqua-t-elle.

— Ce n'est pas une raison complémentaire, dit Chantignole.

— Une raison intermédiaire, l'interrompit Claude, et Chantignole se tut, furieux d'avoir enfreint la règle essentielle : ne pas expliquer une explication.

Satisfait, Claude se tourna vers Racine.

— Tu as trouvé du nouveau ?

— Oh ! deux ou trois seulement, et sans grand intérêt.

Citations ou faits divers ? demanda Ginette, faisant la chattemite.

— Faits, grommela Racine ; comme toujours, il s'attaquait à ses mèches. Il y en a bien un, dit-il en se tournant vers Claude. Un aigle qui s'est pris dans des fils à haute tension a provoqué un court-circuit et privé de lumière plusieurs communes des Pyrénées orientales.

— C'est beau, dit Ginette, parfaitement surréaliste. N'est-ce pas, Claude ?

— Nous le reverrons sur fiche, répondit-il. Autre chose ?

— Une histoire assez embrouillée d'héritage.

— Vous vous y intéressez, aux héritages ? s'informa Vaillant.

Claude était décidé à ne pas lui répondre. Cette fois-ci, Ginette garda le silence. Eric s'engagea.

— Parce que moi, dit-il, j'en ai fait un récemment. Un gros. Tout en valeurs russes.

Pas mal, songea Claude en observant Ginette. Ça mérite une fiche. Mais il ne dit rien, comme s'il n'avait pas entendu, se tourna vers Chantignole et lui jeta :

— Cette histoire d'héritage dont parle Racine, ça doit valoir une fiche.

Vaillant se jura de ne plus ouvrir la bouche de la soirée. Il ne reprochait pas aux autres sa propre incompréhension, mais il en voulait à Ginette d'être au courant. Tout ce qui existait autour d'elle était antérieur à son amour pour elle, donc haïssable. Il se mit à détester les oreilles de Claude, jaunes et transparentes, des oreilles de cire.

Il se pencha vers Ginette, chuchota :

— Ce Claude a un nom de famille ?

— Isnard, murmura-t-elle, et entendant le nom de la banque où il obtenait les coupures vierges destinées à Mme Androuet, il considéra son amie avec stupéfaction.

C'est toujours Claude qui parlait la semaine suivante.

— Une tant si belle ville et drôlement chouette, dit-il, et il choisit une cigarette. La surplombant, la forteresse dont parle Saint-Simon, dans ses mémoires, et dont le nom m'échappe pour peu que.

— Montjuich, dit rapidement Racine.

— Montjuich, répéta Claude d'un ton impliquant qu'il l'avait toujours su, mais, pour des raisons de lui seul connues, avait préféré ne pas le nommer.

Il jeta sa cigarette à moitié consumée et posa son regard sur le boléro rouge de Ginette, les mèches de Racine, la main gauche de Chantignole, les revers de Vaillant.

— Allons, dit-il en se baissant pour choisir une nouvelle cigarette, meublez !

— Population aux environs d'un million, proposa Racine, mais Chantignole lui coupa la parole :

— Vaillant, avez-vous jamais été à Barcelone ?

— Jamais.

— Parfait. Alors, je propose trois industries à désigner, le quartier réservé et les faubourgs.

Il parlait avec hâte, on se rendait compte qu'il avait préparé son plan d'avance et craignait d'être interrompu.

— Excellent, les faubourgs, dit Claude.

— C'est que j'ai basé mon plan d'insurrection sur les faubourgs et les gares, dit Chantignole en rougissant de plaisir.

Ils auraient pu m'attendre pour commencer, pensa Eric, interrompant Chantignole :

— De quoi parlez-vous ? Je ne comprends rien.

Claude aspira la fumée.

— J'ai eu l'idée d'une expérience, dit-il, qui permet de remettre au point un certain nombre de notions acquises. Nous savons mathématiquement les conditions nécessaires au déclenchement d'une révolution. A notre plus vif regret, et cætera, aucune des expériences tentées à ce jour n'a été satisfaisante. L'avantage des sciences naturelles sur les sciences sociales consiste dans l'existence du laboratoire et des cobayes. Mais si nous prenons une ville type, nous aurons créé notre cobaye, et il s'en faut que.

— Quelle ville ? demanda Eric. Barcelone ?

— C'est un port, lança Racine avec entêtement. J'aime les ports.

Claude lui coupa la parole.

— La théorie de la révolution est aujourd'hui au point. De même, la statistique. Celle-ci nous permettra de poser nos coordonnées, notre ville sera non pas une ville comme vous l'avez dit.

Il se tourna vers Chantignole :

— Mais *la* ville. Une fois tous les détails prévus, nous y appliquerons la théorie. En tenant compte de tous les éléments, nous reconstituerons l'unique moyen de provoquer une révolution viqueutorieuse.

Comme Vaillant se taisait, Chantignole reprit :

— Je vous disais tout à l'heure que j'avais basé mon plan d'insurrection sur les gares et les faubourgs. S'il est acquis que les ouvriers habitent généralement les faubourgs – n'est-ce pas, Claude ? – et que dans une ville d'un million d'habitants il peut y avoir jusqu'à dix gares, et chacune correspond à une banlieue différente, et il y a des trains d'ouvriers qui arrivent très tôt, à sept heures du matin, je crois.

— A cinq, dit Vaillant.

— Vous voyez !

Chantignole débitait à toute allure :

— Le jour de l'insurrection, mille ouvriers armés occupent le train de cinq heures, le premier. A cinq heures trente du matin, les dix gares dans dix quartiers différents sont occupées militairement. Que peut faire la police ?

Ginette regarda Claude qui se taisait, puis dit à Chantignole :

— Vous êtes épatant.

— Attention, dit Claude, je vous mets en garde contre la couleur locale. J'avais raison en me méfiant de Barcelone. Nous ne devons pas faire de personnalités, pour votre gouverne.

Ginette venait de trouver quelque chose à dire :

— Un savant qui expérimente sur un cobaye ne cherche pas à savoir s'il est blanc ou tacheté.

— C'est évident, dit Eric en souriant à la jeune fille.

— Nous ferions mieux de répartir le travail, décréta Claude. Ton erreur, Chantignole, a été de conditionner la ville par un plan d'insurrection, alors qu'il fallait faire l'inverse. Ne préjugeons pas. Je propose que Chantignole dresse pour vendredi prochain le plan physique de la ville.

— C'est un port, dit Racine.

— Oui, et toi, Racine, tu préciseras les statistiques vitales.

— Les accidents de travail, dit Chantignole.

— Les accidents de travail, les maladies professionnelles, et les cætera, reprit Claude. Moi, je me charge de la situation économique et politique du régime en vigueur, du rapport des forces entre les classes et tout ce qui s'y subordonne. A l'instar de.

— Un port, répéta Racine qui avait tiré un calepin et prenait des notes. Le marchand de ballons laisse partir sa grappe, signal convenu. Elle monte au-dessus des toits. La foule, immobile, la contemple. Dans le silence, le claquement d'un revolver : le commencement.

Il avait levé la tête et suivait des yeux le petit nuage bleu qui s'envolait au plafond.

— Qu'est-ce qui commence ? demanda Claude en jetant sa cigarette.

— Et Vaillant, qu'est-ce qu'il va faire ? interrogea Chantignole.

— Exact. Claude réfléchit. Il ne reste plus grand-chose. Vous voyez un détail, Vaillant ?

— Les hommes peut-être, hasarda Eric.

— Quels hommes ?

— C'est-à-dire, les hommes et les femmes.

Il n'arrivait pas à s'exprimer.

— Il vous faudra des gens dans votre histoire.

Claude fit une grimace.

— Il veut dire, le personnel, s'empressa de lancer Chantignole.

Claude leva les bras :

— Surtout pas de psyqueulogie. Entendu, préparez un jeu de mannequins. Pas de ressemblances personnelles. Nez moyen, front moyen, menton moyen, signes particuliers, néant.

Il prit une cigarette, l'alluma.

— A vendredi. Ajustez vos flûtes, messieurs, et passons aux manœuvres courantes.

Et, s'indiquant d'un geste, mais les yeux sur Vaillant :

— Assassin, assassineur, assassinateur.

Eric enragea. Il fallait partir sans avoir dit un seul mot à Ginette. Claude ne la lâcherait pas d'un mètre.

Ils s'étaient tous levés.

— Claude, dit Ginette, j'ai soif. Veux-tu m'apporter un verre d'eau fraîche ?

Elle était en train d'examiner, au mur, un dessin de fou. Dès que Claude sortit, elle se retourna. Elle va le suivre, songea Eric. Elle a fait deux pas, elle s'arrête, elle cherche un prétexte, elle a trouvé, maintenant elle va passer près de moi et rejoindre Claude dans la salle de bains.

En arrivant à la hauteur d'Eric, Ginette dit à voix basse sans le regarder :

— Demain, à six heures, chez Tine. Alors, Claude, cria-t-elle, tu viens ou non ?

Eric dévala l'escalier. Pour lui parler, Ginette s'était débarrassée de Claude. Ginette l'aimait. Il traversa Paris à pied. Aux Champs-Elysées, il demanda l'heure à un passant pour le plaisir d'entendre sa voix.

Boulevard Philippe-Auguste, un sourire dans lequel sa volonté n'était pour rien releva le bout de ses lèvres et les maintint retroussées jusqu'à la porte de sa maison. Il ne pensa pas à crier son nom.

— Qui est là ? dit la voix ensommeillée de la concierge.

— Merci, et vous ? répondit chaleureusement Eric, et il essaya longtemps d'ouvrir sa porte avec la clé de sa valise. Il s'endormit, éreinté, et ne rêva point.

Vaillant lève la tête, examine à sa gauche, au sommet de la table, Mme Androuet, à sa droite Mme Lacassagne. Il déteste Irma dont, pourtant, Ginette porte le nom de famille, mais ne peut s'empêcher de ressentir une certaine tendresse pour la grand-mère : c'est à elle que ressemble Ginette.

Après quinze ans de mariage, Tine se faisait belle chaque après-midi pour attendre son mari à la fenêtre, lui la gâtait comme une enfant. Englobée dans cette tendresse étrangère, Irma se raidit tôt devant les baisers dont elle était trop souvent témoin et insuffisamment l'objet. Les caresses qu'échangeaient les adultes la crispaient, il s'y mêlait aussi le souvenir de son frère, disparu à dix-huit mois. Elle avait été jalouse, avait souhaité sa mort. La mort l'avait mis hors de portée de la jalousie, pourtant plus justifiée encore que de son vivant par les larmes de la mère que jamais Irma n'avait pu mériter. Supposant qu'elle était responsable de la mort de son frère, pour l'avoir désirée, elle avait eu l'hypocrisie de pleurer. Il n'en fallut pas davantage pour que sa mère la couvre de baisers et de larmes. La fillette s'écarta, les lèvres serrées, les yeux secs : ces baisers comme ces larmes ne lui étaient pas destinés. Elle avait à ce moment tellement l'air d'une vieille femme que sa mère ne put s'empêcher de sourire :

— Tu n'es pas jolie, mon Irma.

Cette phrase, répétée à des années d'intervalles, eut des retentissements incalculables. Irma chercha des occasions de mépris, elle en suscita.

La première fois qu'elle se trouva seule dans le confessionnal, aux questions distraites du curé qui expédiait les communiantes à raison de vingt à l'heure, Irma répondit froidement qu'elle haïssait ses parents et avait très probablement tué son frère. Le gros homme en resta bouche bée, tiraillant d'un geste machinal la verrue qu'il portait à l'oreille.

— Mais ce n'est pas bien, mon enfant, dit-il conciliant.

Il ne lui apprenait rien : elle se savait vicieuse et pécheresse. Elle espérait néanmoins une mortification de feu dont elle sortirait bonne à être aimée. L'entretien avait duré plus de cinq minutes, le curé enchaîna :

— Il faut aimer ses parents. Dix *Ave*.

— Oui, mon père, mentit Irma, raffermie dans son mépris, et sa voix sans timbre résonna jusqu'au soir dans les oreilles du prêtre.

Pas plus que ses parents, Dieu ne s'était occupé d'elle. Il n'y avait qu'à se taire et détailler les ridicules des autres : les manchettes que son père enlevait et posait près de lui pendant le dîner, la coiffure de sa mère froissée par des baisers qui ne connaissaient pas d'heures fixes. Tout absorbés qu'ils étaient, ses parents sentaient quelquefois, avec gêne, peser sur eux le regard froid de leur fille.

— Qu'est-ce que tu as à me regarder comme une chose ?

— Je ne te regarderai plus.

— Mais qu'est-ce que tu as ?

— Moi ? Rien.

Mme Androuet se reprochait quelquefois de ne pas s'occuper davantage de sa fille : prise dans un tourbillon de tendresse, elle entassait jouets et questions.

— Ça te plaît ? Tu es contente ?

— Oui, maman. Merci, maman.

— C'est tout ce que tu as à me dire ?

Irma haussait les épaules.

— Tu ne m'embrasses même pas ?

— Si, maman.

Et elle frôlait la joue de sa mère d'un baiser sec et précis.

— Tu vas jouer, Irma ?

— Non, maman, j'ai des devoirs.

Elle n'est pas câline, pensait Mme Androuet, bien loin d'entrevoir la force que sa fille venait de déployer pour ne pas succomber à la tendresse.

Elle n'est pas coquette, réfléchissait-elle cinq ans plus tard, lorsque la petite refusa sa première robe de soie. A seize ans, Irma faisait des projets pour quand elle en aurait trente ou quarante. Elle apprenait bien. A tour de rôle, elle décida de devenir une grande mathématicienne, une grande exploratrice. Elle admirait Mme Curie, Mme Dieulafoy, qui avaient eu pourtant la faiblesse de se marier.

Elle aussi dut en passer par là. Son mari ne pouvait l'avoir épousée que pour son argent. Elle le détaillait avec curiosité pendant qu'il l'embrassait.

Dès le premier jour, elle avait reconnu la faiblesse de son caractère. Elle fit tous les gestes de la grossesse et réussit à ne pas être entièrement absorbée. Ginette naquit. Irma constata que cette grenouille aux jambes ridiculement menues provoquait en elle plus de curiosité que de tendresse.

Quelques mois après cette naissance, Irma ressentit des douleurs dans le bas-ventre. Elle consulta des médecins, ils lui recommandèrent le repos. Elle resta allongée, incapable de nourrir Ginette, même de s'en occuper, soins que se partagèrent la grand-mère et Amicie : cette intimité de début où la mère se donne tout entière, faisant provision de souvenirs pour plus tard, allait manquer à Irma. Un an plus tard, elle n'allait pas mieux : il fallut l'opérer. Elle se releva au bout de six semaines : elle ne pouvait plus avoir d'enfants.

Ce fut la seule époque de sa vie où elle fut femme et chatte, autant que sa mère l'avait jamais été. A vingt-deux ans, elle vécut dans la terreur de vieillir, d'engraisser, dans la peur des bouffées de chaleur qui la faisaient pleurer. Elle s'examinait dans la glace pour voir s'il ne lui venait pas de moustache, elle sortit beaucoup, elle alla jusqu'à simuler des règles.

Ginette, inconsciente, faisait ses premiers pas, déjà, elle ressemblait à sa grand-mère. Puis ce fut la mort du père ; Irma, la veille une jeune femme, accusant le lendemain ses quarante et un ans, la guerre, le départ du mari. A chaque coup, elle se raidissait un peu plus.

L'entreprise reposait sur elle. Au commencement, des industriels, des armateurs, peu habitués à traiter avec une femme, avaient essayé de la duper ; elle s'était trop longtemps attachée à détailler les visages pour ne pas surprendre l'infime tressaillement de satisfaction qui précède la conclusion d'un marché. On la respecta et, de son côté, elle sut comment il fallait tromper les autres sans se trahir. Sa robe noire, sa collerette démodée de tulle à baleines, sa bouche mince, ses yeux qui, dans le temps, avaient gêné ses parents, commencèrent à être connus dans le monde des affaires.

– La meilleure des zoueuses, zézayait M. Malphilâtre, directeur de la banque Isnard.

La Suède était le grand fournisseur de papier, Irma apprit le suédois ; la Finlande, saignée par la contre-révolution, se lançait dans la fabrication de la cellulose, Irma alla à Helsingfors et en rapporta deux contrats. La guerre avait allégé la France de millions d'hommes ; alors que d'autres femmes s'agitaient pour obtenir le droit de vote, Irma fonçait devant elle. Les femmes ne valaient pas mieux que sa mère, machine à faire l'amour vingt-sept jours par mois.

A la maison, où elle rentrait en retard, toute à la circulaire qu'elle venait de dicter, à la commande qu'elle allait enlever le lendemain, elle avalait des potages de légumes, des salades cuites, des crèmes renversées.

— Ginette n'est pas là ?

— Mademoiselle dîne chez la mère de madame.

Encore, pensait Irma. Pourtant, elle avait fait son devoir. Jamais elle n'avait élevé la voix, jamais elle n'avait puni Ginette sans lui avoir expliqué pourquoi.

— Oui, maman, bien, maman, disait Ginette.

Sa mère recommençait l'explication en cherchant où et quand elle avait déjà entendu ces paroles prononcées comme maintenant d'une voix de petite fille. Ginette grandissait, nerveuse, imaginative, coquette et tellement inattentive. Les explications ne l'atteignaient pas.

Mme Androuet ne devait jamais pardonner à Irma la mort de son frère, emporté par le croup lorsqu'il avait un an et demi. Irma était une Androuet, alors que le petit avait tenu de sa mère. Tant que M. Androuet vécut, les relations entre Tine et Irma furent correctes, sinon intimes. Plus tard, M. Lacassagne servit, sans s'en douter, de tampon entre les deux femmes : Mme Androuet aimait son gendre. Enfin, de bébé, Ginette devint enfant et, malgré les apports de la paysannerie alpine et de la bourgeoisie parisienne, la goutte de sang sarrasin vieille de mille ans s'était épanouie en elle. La grand-mère qui revendiquait cette floraison voua à Ginette l'amour qu'elle n'avait jamais éprouvé pour sa fille, sans doute parce qu'elle avait aimé son mari sans admettre de partage, et jalouse d'elle-même.

Très tôt, Ginette avait senti cette passion que plus tard elle s'appliqua à rendre : en admirant sa grand-mère, elle s'admirait discrètement. Ce luxuriant jaillissement des sentiments, elle ne le retrouvait pas chez sa mère.

Irma s'occupait de Ginette par principe et des affaires par goût. Lorsque la guerre éclata, elle dirigeait en fait le bureau où la mort de M. Lacassagne passa pour ainsi dire inaperçue. Elle mit des lunettes et, exerçant la faculté accordée par son contrat de mariage, devint seule propriétaire de la totalité des droits appartenant à son mari dans la société, soit six vingt-deuxièmes de l'actif social. Depuis lors, elle assura les fonctions de gérance pendant toute la durée des hostilités et jusqu'au jour où commence cette histoire.

Durant les années de prospérité qui succédèrent à la dévaluation Poincaré, la papeterie rapportait gros. Irma aurait aimé transformer l'affaire en société anonyme, augmenter le capital et adjoindre à la représentation la fabrication du papier-journal que le contingentement des importations permettait de rendre profitable. Mais elle se heurta au refus catégorique de sa mère, propriétaire de seize vingt-deuxièmes du capital.

Irma s'étonna, mais ne s'alarma point : elle avait pris l'habitude dans son travail de ne pas compter avec sa mère, que son père avait gâtée tout en la tenant dans une ignorance absolue des affaires : pour lui, Tine, avec son odeur de pain frais, avait toujours dix-huit ans. Irma fit des cadeaux à sa mère comme son père avant elle, la raisonna comme un enfant, essaya même de lui expliquer les avantages de ses propositions. Mme Androuet demeurait inébranlable. Si seulement père vivait, pensait Irma.

C'est là qu'elle se trompait. Seule, elle aurait sans doute su persuader sa mère ; contre le souvenir de son père, elle était impuissante.

Son mari avait été pour Tine le bon Dieu : l'idée d'une erreur de sa part ne l'avait jamais effleurée, tout ce qu'il faisait était bon et juste. Elle ne se sentait pas capable de lui succéder à la tête de l'affaire, du reste elle avait eu confiance en Irma. Lorsque sa fille lui parla de modifications, elle s'effraya du sacrilège contre la mémoire de son mari : on ne corrige que les choses imparfaites. Elle y mêlait sa prudence matoise et bornée de fille de paysan : la nouveauté lui faisait peur.

— Ce qui était bon il y a trente ans ne l'est plus aujourd'hui, argumenta Irma.

Mme Androuet y vit plus qu'une critique, un blasphème.

— Ce qui était bon pour ton père est assez bon pour moi, répliqua-t-elle.

— Je suis sûre que si père était là, reprit la fille.

— Peut-être, dit Mme Androuet, bien décidée à ne pas comprendre, mais tant que je vis tu n'inventeras rien !

C'était définitif.

Irma essaya de donner le change en faisant installer au bureau un standard téléphonique dont Roger ne put jamais pénétrer les mystères ; Boulet,

Germaine ou, plus tard, Vaillant devaient accourir de l'autre bout du bureau pour brancher les fiches. Elle remplaça les écritures et la presse à copier par des machines à écrire. C'est elle qui imposa à Tricot une machine à calculer dont il se méfiait et qu'il contrôlait en refaisant les calculs sur un bout de papier.

— Mes employés et moi, répétait-elle, nous ne faisons qu'une seule famille, et chacun connaît ses devoirs.

Sans être croyante, elle était pratiquante, et Germaine observait :

— Elle prie Dieu chaque matin pour qu'il ne s'occupe pas de ses affaires.

Irma voulut agir par l'intermédiaire de Ginette, la mit au courant d'une façon voilée, l'envoya plus souvent chez sa grand-mère. La première fois que Ginette mentionna l'affaire, Mme Androuet fit la sourde oreille et raconta longuement à sa petite-fille la foire de Mainmorte où, quarante ans plus tôt, elle s'était fiancée. Ginette ne lui parla plus jamais de cette fable de la fontaine, et lorsque sa mère essaya de l'interrompre, elle répondit avec son plus innocent sourire :

— Tine a dit que tout ce qu'elle a me reviendrait un jour.

Ça me fait une belle jambe, songea Mme Lacassagne.

Elle avait senti toutes les nuances qu'impliquait le ton de sa fille.

De penser aux fortunes des Darblay, des Beghin, d'autres papetiers, tandis qu'elle était condamnée à végéter à raison de trois pour-cent sur le prix des marchandises vendues, la mettait hors d'elle. Elle s'en ouvrit à Huchet. Il fut flatté et content, prévoyant le parti qu'on pouvait tirer du différend familial. Il se rangea du côté de Mme Lacassagne, mais lui conseilla une nouvelle démarche auprès de Mme Androuet : ce qu'Anxionnaz aurait appelé une contre-assurance.

Irma fit une dernière tentative qui eut pour seul effet de rendre Mme Androuet méfiante. Irma commit la maladresse de citer l'opinion de Huchet : il fut aussitôt rangé dans la liste des suspects.

Quand je mourrai, mais pas avant, pensa Mme Androuet, et comme elle ne prononçait jamais le mot de mort :

— Tant que je vivrai, dit-elle, je ne veux plus entendre parler de ta lubie.

Irma fit le thème de cette version. Pas avant sa mort, réfléchit-elle ; elle est capable de me survivre rien que pour m'embêter. Elle se plaignit avec modération auprès de Huchet. Il lui parla de l'obstination des vieilles gens ; Irma n'y voyait qu'une humiliation voulue.

— Dites leur stupidité, jeta-t-elle.

Huchet, qui n'avait pas perdu son temps, insinua qu'il y avait, peut-être, moyen de se passer du consentement de Mme Androuet.

— Vous n'y pensez pas, dit Irma. Nous sommes liés pieds et bras.

— Et si, par exemple, poursuivit-il, sans se laisser démonter par cette interruption, il s'avérait que madame votre mère, en raison de son âge, n'était plus à même d'administrer ses biens ?

Irma le regarda attentivement.

— J'ai justement un ami, dit-il, M. Anxionnaz, très versé dans ces questions.

— Expliquez-moi, dit Irma.

Mais Huchet avait déjà trop parlé. Il se hâta de prendre une contre-assurance.

— Ça me paraît en effet très aléatoire, conclut-il.

Irma passa l'après-midi enfermée dans son bureau, à étudier le Code civil. Elle chercha au titre de la succession, mais n'y trouva rien, parcourut le sommaire, crut comprendre l'idée de Huchet. "Le majeur qui est dans un état habituel d'imbécillité, de démence ou de fureur, lut-elle, doit être interdit." Ces mots la firent tiquer. Un instant plus tard, elle lisait avidement. Au bout d'une heure, elle entrouvrit la porte du bureau de Huchet et lui jeta sans le regarder :

— Dites à M. Anxionnaz de passer me voir un de ces jours.

Huchet, qui avait eu passablement peur, respira. Le lendemain, Roger introduisait l'agent d'assurances auprès de Mme Lacassagne.

S'il avait eu un bureau et une plaque sur la porte d'entrée, Anxionnaz aurait pu y inscrire : "Commissions en tous genres." Agent d'assurances, démarcheur confidentiel des collectionneurs, conseiller des rentiers en mal de nouveaux placements, il était bourré de notions disparates picorées au hasard de ses travaux. Il courait du matin au soir, grapillant cent francs sur une assurance-vie, cinquante sur un service à thé, vingt-cinq sur une aide moins avouable. Vieux garçon, mais s'inventant des biographies à la mesure des événements, bavard d'apparence quoique discret sur le fond, menu au physique et donnant l'impression d'être démontable : on aurait rangé ses vêtements dans un tiroir qu'il n'en serait resté que la voix ; il n'était lui-même qu'un *tant pour cent* de la société sur laquelle il avait poussé ; avec cela, la passion des fleurs, de l'ordre, et fureteur.

Comme tant d'autres, Huchet l'avait trouvé utile, puis plaisant ; Anxionnaz supportait les anecdotes les plus salées, et pourtant il en souffrait, riait toujours en témoignage d'approbation, bref, en plus des coups de main qu'il rendait, il était au moral un bon à tout faire. Il était à même de changer d'idées à chaque client : dans tous les sens il abondait, exercice moins acrobatique qu'on ne le croirait, en raison du peu de diversité des idées qu'il rencontrait.

Il n'était intraitable que sur le chapitre des fleurs.

— Moi, j'aime les regarder, déclarait-il. A la campagne, je m'arrête pour les voir et j'en cueille même de grosses bottes, bien que je sache que le vase de ma chambre d'hôtel est beaucoup trop petit, comme toujours les vases et les cendriers dans les hôtels. Donc j'aime regarder les fleurs et en parler, sans être botaniste le moins du monde. Les noms ne me disent rien, sauf bien entendu les fleurs qu'on achète chez la marchande, à Paris : roses, œillets et le reste. Sans doute parce que je suis citadin, et c'est peut-être même la raison qui me fait aimer les fleurs ; enfin, je les aime et je ne comprendrai jamais ce qu'il y a de sentimental là-dedans. Parler des fleurs, c'est sentimental ? Et ceux qui le disent passent des heures à parler de mort, par exemple. Tous ces Schopenhauer et, en général, les philosophes étrangers. Des sentimentaux sans exception. La mort, voyez-moi ça. Un sujet sérieux. Ils vous méprisent parce que vous vous arrêtez pour cueillir une fleur, une vraie fleur en chair et en os, quelque chose que vous pouvez tenir à la main, sentir, goûter. Tandis que la mort...

— Quel rigolo, cet Anxionnaz, s'esclaffaient ses amis, et le petit bonhomme se taisait, honteux d'avoir pu paraître personnel.

Roger continue à servir avec son adresse habituelle.

— L'école laïque a porté un coup à la vie familiale, pense tout haut Mme Huchet qui a mis ses filles chez les sœurs.

— Heureusement, éclate Boulet, qu'il y a l'Armée du Salut. A présent, les salutistes peuvent entrer n'importe où, ils sont sûrs et certains d'être bien reçus. Et si quelqu'un s'avisait de se moquer d'eux, il

se trouverait toujours un honnête homme pour remettre le goujat à sa place.

Tout finit par se savoir ; il faut avoir la passion
d'intrigues d'Anxionnaz ou la naïveté de Vaillant
pour l'ignorer. Eux-mêmes devaient apprendre
plus tard le chemin que le projet d'Irma avait suivi
avant de parvenir jusqu'à Mme Androuet ; s'ils
l'avaient su plus tôt, toute l'histoire aurait tourné
différemment.

Un point est certain : ce fut Amicie qui donna
l'alarme à Mme Androuet. Personne à Paris, sauf
Irma, ne soupçonnait à quel moment elle était ap-
parue au service de Tine, avant la naissance de Ginette, avant le mariage de sa mère. Elle était petite,
portait un tablier noir par-dessus une robe noire,
remontait ses cheveux à l'aide d'épingles d'écaille,
avait le teint pâle, la bouche mince, le nez long et
pointu, des mains fines qui semblaient avoir vingt
ans de moins qu'elle et dont elle n'était pas peu
fière. Elle se déplaçait sans bruit, lorsqu'elle ouvrait
la bouche, on ne savait jamais depuis combien de
temps elle était dans la pièce. Mme Androuet la ru-
doyait, mais il régnait entre les deux femmes une
intimité que seules les dizaines d'années de vie
commune pouvaient expliquer ; Roger affirmait
que du temps où il avait été valet chez M. Androuet, il avait entendu Mlle Amicie tutoyer la patronne, mais aussi le moyen de croire Roger !

Si quelqu'un s'était donné la peine d'évoquer
l'image d'Amicie, il se serait rendu compte qu'elle
ne parlait jamais d'elle-même, comme si elle fût entrée au service de Mme Androuet de même qu'elle
entrait dans une pièce. Elle n'avait pas d'amis, ne
recevait pas de lettres ni n'en écrivait, n'allait jamais
au cinéma.

Ginette, qu'elle avait élevée en partie, n'en savait
pas plus que les autres, c'est à peine si, à l'occasion

des remarques les plus anodines, elle s'était aperçue qu'Amicie ignorait, par exemple, Montparnasse, Montmartre, le parc Monceau. Elle vivait dans son quartier de Paris, le Marais, comme dans un village. Elle n'en donnait pas moins à ceux qui l'approchaient l'impression de secret, de mystère même : elle affectionnait les allusions, les sous-entendus, comme font les vieilles filles. Son silence même était éloquent.

Elle habitait une petite pièce, près de la cuisine, où elle ne laissait pénétrer personne. Elle s'y enfermait souvent à clé, et si l'on venait lui parler, sortait dans le couloir en refermant la porte derrière elle.

Ginette allait sur ses quatorze ans lorsqu'elle décida de s'introduire dans le secret de cette chambre ; quand, à force de ruse, elle y parvint, elle fut bien déçue : Amicie passait des heures à se masser les mains avec un mélange d'huile d'amandes douces et d'eau de rose, en lisant les annonces matrimoniales du *Chasseur français*.

Ginette en parcourut quelques-unes :

"Dame, 50 ans, honorable, éduquée, partagerait existence avec mutilé, préférence aveugle."

"Veuve sans enfants, grandes qualités, petit avoir, paralysée, épouserait infirme."

"Distinguée, affectueuse, catholique. Etrangers, veufs, divorcés, s'abstenir."

Sous ses apparences médiocres, Amicie cachait une nature intense : son âme sinon son aspect impliquait du sang sarrasin. Dans son silence, elle jugeait, prenait parti, comme elle devait jeter le mouchoir en faveur d'Eric et de son amour. Il n'y avait aucune extrémité dont elle ne fût capable. Elle ne savait pas approuver ni critiquer, il lui fallait adorer ou haïr, et la violence infantile de ses sentiments n'était pas proportionnée à leurs objets. Elle préférait les incidents les plus étrangers : une dispute entre deux livreurs dans la rue, un divorce

mondain. Les dénouements qu'elle ne manquait jamais de leur attribuer s'accordaient peu avec la réalité, bien davantage avec un code dont elle était la
farouche gardienne et qui tenait moins des conventions qu'on aurait pu se le figurer. Ainsi ce n'est pas
les amants qu'elle se plaisait à punir, mais le mari,
et cela par les moyens les plus efficaces, jusqu'à
l'emploi des armes inclusivement. Sa vie était une
succession de brèves tragédies dont elle était le
deus ex machina. Nulle part il ne se consomme autant de crimes passionnels que dans l'imagination
d'une demoiselle d'un certain âge.

Quand Mme Androuet et Amicie étaient seules
et certaines que personne ne les écoutait, elles
s'appelaient par leur petit nom et se tutoyaient.
Comment deviner, à moins de se rendre à Mainmorte, qu'Amicie était tout bonnement la sœur
cadette de Tine ? Elle n'en parlait jamais, se condui-
sant comme économe et dame de compagnie. Elle
avait beau être née Alloz comme son aînée, soit
descendre des boulangers mortemanais, à la voir,
elle n'avait rien de sarrasin.

Mais à présent qu'on parlait tellement de mise
en accusation, de poursuites, de condamnations,
Mlle Alloz commençait à s'interroger. Qu'arriverait-
il si elle survivait à sa sœur ? Amicie, qui portait à
Vaillant un attachement de célibataire, se dépensait
à le questionner. Comme d'habitude, elle imagina
une histoire.

— J'ai une amie qui est mourante, raconta-t-elle.
Elle me laisse une petite maison. Elle m'a fait un papier. Mais il y a des héritiers. Vous qui êtes instruit,
croyez-vous que ce mot doit être fait sur papier timbré ? Elle peut mourir d'un moment à l'autre.

— Je ne suis pas avocat, dit Vaillant. Vous feriez
mieux d'en consulter un pour plus de certitude.

— Mais qu'est-ce que vous en pensez ?

— Du moment que je ne suis pas avocat !

— Tiens !

Elle fut déçue, crut qu'il ne voulait pas la renseigner, mais elle évita de lui dévoiler le véritable motif de son enquête.

Dix heures du soir. Mme Androuet se mit au lit. Amicie qu'elle croyait couchée se trouvait là et, malgré une agitation contenue, demanda innocemment :

— Sais-tu ce que signifie interdiction ?

— Mais bien sûr, que tu es bête.

— Et alors ?

— C'est quand on interdit quelque chose.

— Et interdire une personne ?

— Ce n'est pas français. Mais qu'est-ce que tu racontes là ?

— Irma veut te faire interdire, chuchota Amicie, mais son émotion était si forte qu'on ne l'entendait pas.

Mme Androuet ne distingua que le nom de sa fille.

— Irma veut me quoi ?

— Te faire interdire.

Elle est devenue folle ou elle a bu, pensa Mme Androuet.

— Va-t'en, Amicie, il faut dormir.

L'autre restait en place, murmurant :

— Je me suis renseignée, je me suis renseignée.

— Je me suis renseignée, la singea l'aînée. Vas-tu parler ?

— Irma veut te faire passer pour folle.

La dame éclata de rire.

— S'il y a une folle dans la famille, c'est bien elle, ou toi.

Amicie ne put s'empêcher de crier :

— Te faire déclarer folle pour t'enlever ton argent.

Mme Androuet s'arrêta de rire.

— Qui te l'a dit ? Parle.

Amicie raconta le peu qu'elle savait. Mme Androuet était calme.

— Bon, laisse-moi. Je dois réfléchir.

Elle aurait pu au moins me dire merci, s'indigna Amicie.

Seule, Mme Androuet ne se demanda pas si Amicie avait dit vrai, si elle avait été bien renseignée. Elle n'en voulait pas à Irma en tant que sa fille. Cette vertueuse indignation ne lui viendrait que plus tard, à l'usage des tiers.

Elle n'avait confiance en personne, sauf en Amicie, par habitude, et en Ginette, par amour. Elle voulait questionner Maître Isabelle.

Avoué des familles, Me Isabelle était un beau veuf qui portait toute sa barbe, riait fort et volontiers des paroles des autres et, de préférence, des siennes propres, mangeait plus volontiers encore, n'avait jamais obtenu la Légion d'honneur et en souffrait, n'avait jamais voyagé à l'étranger et s'en fichait, connaissait la procédure mieux que le droit, ce qui prouvait qu'il avait une nombreuse clientèle, et avait la réputation d'un terrible don Juan.

Goguenard :

— La femme est une éternelle mineure que l'homme détourne sans attenter à la pudeur.

Précautionneux :

— Si elle est consentante.

Cochon :

— Toutefois, ce principe souffre quelques tempéraments.

Indulgent :

— Les lois sont faites par les hommes.

Philosophe :

— Ah, les femmes, comme disait Shakespeare, et il avait raison.

Il fouillait dans sa mémoire :

— Nous sommes rentrés au bercail pour conjuguer

le verbe aimer. Elle était sans une feuille de papier à cigarettes sur le râble.

Le boucher, l'épicier, le boulanger savaient que Me Isabelle avait les plus jolies bonnes du quartier des Halles et qu'il en changeait tous les ans.

Bref, on aurait beau sonder l'âme de Me Isabelle : il n'y avait d'eau qu'à la cheville.

Mme Androuet voulut l'interroger sans le mettre au courant.

Il s'exclama :

— Toujours aussi fraîche, chère madame.

Et elle :

— Vous prendrez bien un petit verre de quelque chose.

— Rien que pour le plaisir de vous le voir verser. Ah ! ces mains, à vingt ans, j'aurais fait des folies pour des mains pareilles, dit Me Isabelle en laissant entendre que, bien que trois fois plus âgé, il en était encore parfaitement capable.

Une femme ne résiste guère à un compliment qu'un homme lui adresse au sujet de ses mains, et moins que toute autre Mme Androuet qui les avait eues belles. Elle se laissa raconter les potins.

— Vous seriez étonnée si je vous nommais la personne.

Elle ne détestait pas le gros sel à son âge, disait-elle, et il le savait tout en protestant qu'aucune des jeunes filles d'après-guerre ne la valait.

— Et une telle ?

— Mais elle n'a pas de hanches.

— Tiens, je n'y avais pas fait attention, mais à présent que vous m'y faites songer. Et ma petite-fille ?

Adroit et prudent :

— Mlle Ginette ?

Pendant tout ce temps-là, pourquoi m'a-t-elle fait venir ? se demandait-il.

Après le deuxième petit verre – et il insista pour qu'elle le prenne avec lui :

— Mon cher maître, dit-elle, j'ai une amie.

Enfin, songea-t-il, sans être dupe de la fiction. Il prit son air d'homme de loi.

— Pour raisons de famille, poursuivit Mme Androuet, elle n'ose pas consulter son avoué. Je me suis offerte à l'aider. Voici de quoi il s'agit. Des personnes en qui elle a toute confiance – mais enfin des étrangers – lui conseillent vivement de faire interdire une de ses parentes.

— Je vous arrête là.

Un doigt en l'air :

— L'interdiction est une action personnelle, personnalissime. Je vous recommande instamment de vous tenir à l'écart de cette affaire.

— Mais il s'agit d'une amie très chère.

— J'entends bien.

— Elle voudrait avoir l'avis d'une personne versée dans la matière.

— Si vous me donniez quelques précisions.

— Cette parente est une dame d'un âge moyen qui a sa fortune, une fortune peu considérable, placée dans les affaires.

Mme Androuet se peignait comme l'amour-propre et la prudence le lui dictaient.

— Votre amie est-elle mariée ?

— Non, veuve.

Je m'en doutais, songea Me Isabelle, vous n'êtes guère adroite, ma bonne. Il s'informa :

— Et sa parente ?

— Veuve également.

— L'interdiction est la plus haute des déchéances morales.

Au bout d'une demi-heure, Mme Androuet était fixée sur le projet d'Irma. Ce n'était pas le plus important.

— Ce qui préoccupe mon amie, ce sont les réactions de sa parente. A supposer que celle-ci soit au courant de la demande en interdiction, ne pourrait-elle pas s'y soustraire ? Vous dites que les lois sont faites par les hommes. Je suis convaincue qu'avec un avocat qui connaît son métier, cette parente pourrait non seulement empêcher l'interdiction, mais encore faire payer l'adversaire plus cher qu'au marché.

Ce nouveau problème professionnel tenta Me Isabelle.

— Elle pourrait faire donation de sa fortune à une tierce personne. Pourtant, si elle était reconnue insensée, l'acte serait jugé nul. Dans ce cas, mieux vaudrait passer un contrat à titre onéreux. Ou alors, elle devrait rédiger un testament qui serait valable s'il était antérieur à l'interdiction, à moins qu'il ne constituât la preuve de la démence ou que les faits ayant entraîné l'interdiction n'eussent existé à ce moment-là. Sinon, ce serait un moyen très élégant de s'en tirer, ajoutait-il, emporté par son sujet, et qui coûterait cher à votre amie puisque c'est elle qui, en demandant et obtenant l'interdiction, aurait rendu le testament irrévocable. Mais j'y vois trop d'inconvénients, surtout si votre amie est héritière potentielle de sa parente.

— Je crois que c'est le cas.

— Alors, n'en parlons plus.

— Cette parente ne pourrait donc pas déshériter mon amie ? Par aucun moyen ?

— Si elle est héritière à réserve, non.

— C'est absolument impossible ?

Le magot doit être gros, décida Me Isabelle, pour qu'elle y tienne tellement.

— A moins, dit-il, de relever de l'article concernant les injures graves et la suite. Mais ce n'est pas le cas.

— Une demande en interdiction ne peut-elle être considérée comme une injure grave ? Si l'on prouvait, par exemple, qu'il n'y avait pas lieu de la provoquer ?

— Non, dit Me Isabelle. Calme-toi, songea-t-il, tu ne risques rien.

— Alors ?

— J'en reviens à mon idée de donation de biens entre vifs.

Il lui passa par la tête une idée de génie comme tout homme de métier en a au moins une fois dans la vie.

— Si j'avais à conseiller la parente de votre amie, savez-vous ce que je lui recommanderais ? De convoler en secondes noces. Ainsi, en cas d'interdiction, le mari serait son tuteur de droit. Il s'agit d'éclairer la religion de la Cour, et la conséquence logique qui se dégage de ces prémisses, c'est que si votre amie n'était placée que sous l'assistance d'un conseil judiciaire, elle en serait relevée du fait même de son mariage, vu le droit de faire asseoir la justice au bord du lit conjugal.

— Est-ce le seul moyen ?

— Vous m'avez pris au dépourvu, mais je ne crois pas qu'il y ait autre chose, à moins évidemment que la demande en interdiction elle-même ne soit repoussée par le tribunal.

Mme Androuet se leva, tellement droite que Me Isabelle pensa : c'est encore une belle femme.

— Alors, dit-elle, mon amie n'a rien à redouter.

Elle doit avoir une riche tante en province, réfléchissait l'avoué en rentrant chez lui, dont l'héritage se fait attendre. Il se félicita de sa perspicacité. Le doigté du père Isabelle était fameux dans le quartier des Halles.

J'espère enlever l'affaire, se dit-il. Et, se servant d'une formule de métier : il n'y a pas péril en la demeure. La belle femme quand même !

Au cours de trente années de pratique, Me Isabelle avait appris à connaître les convoitises, les prurits, les rapacités des clients ; traduits en articles du code, en attendus de jugements, ils ne l'émouvaient pas plus que la vue du sang ne touche un chirurgien ; ils sont tous pareils, disait-il ; en effet, ils transigeaient, empruntaient, recevaient des capitaux, aliénaient leurs biens ou les grevaient d'hypothèques, donc plaidaient, s'empressaient d'aller en appel, en cassation, comme on va à la chasse ; ils se ressemblaient encore en ceci que, bon an mal an, ils avaient tous un revenu assuré de cent mille francs, cause et effet de leurs autres activités.

— Ils suivent la règle du jeu, s'exclamait Me Isabelle.

Ce qu'on serait tenté de prendre pour cynisme n'était chez lui que de l'inconscience professionnelle.

Lorsqu'il fut parti : ce bon Me Isabelle, se dit Mme Androuet, il n'y a vu que du feu. Elle finit toute seule son petit verre.

Il fallait réfléchir. Elle avait besoin d'un homme de confiance au bureau. Le pauvre Roger devenait de plus en plus troublé. A leur dernière rencontre, il avait dit :

— Madame sait-elle que seuls les coqs français crient "cocorico" ?

Elle songea à Boulet, qu'elle avait connu du temps de son mari, mais c'était devenu un ivrogne. Huchet devait avoir partie liée avec Irma. Restait Vaillant. Mais il y avait encore quinze jours avant la fin du mois. Et comment se l'attacher ? Il était pauvre. Une augmentation le rendrait bien aise.

Elle le fit venir, le questionna sur Huchet.

Prudence, mon ami, se dit-il.

Elle sentit de la résistance, parla d'autre chose, prit les devants pour dire du mal de Huchet, établit avec Vaillant mille menues complicités. Il fondit, exhala son mépris de Huchet et des affaires. Elle l'écouta avec un sourire de sympathie, un regard froid et attentif : si elle n'avait pas eu besoin de lui, le diplomate de vingt ans se perdait une fois de plus, comme il n'avait cessé de le faire depuis son entrée au bureau.

— Et il est pingre avec ça, conclut-il en pensant que Huchet ne prenait jamais l'autobus s'il n'y avait de places qu'en première.

— Combien touchez-vous ? s'informa Mme Androuet.

— Huit cents francs.

— Ce Huchet est impossible, observa la vieille dame. Et dire que je n'en savais rien et que c'est moi – ici un regard langoureux – que vous rendiez responsable. Si, si, c'est votre droit.

Vaillant, qui y avait en effet songé, rougit de nouveau.

Elle soupira :

— Ils ne me tiennent pas au courant.

Ainsi, prudemment, elle engloba sa fille sans la nommer dans le complot dont ses employés et elle-même étaient victimes.

— Combien donc touchent les autres ?

Elle essaya de se rappeler le nom de Tricot.

— Le comptable, par exemple.

— Douze cents francs.

— C'est honteux.

Vaillant, à son aise, donnait des détails. Elle hochait la tête, vieille femme écrasée par ces révélations. Enfin :

— Je dois faire quelque chose. Le malheur, c'est que je ne puisse pas intervenir directement. Peut-être qu'à l'occasion du Nouvel An, je réussirai. Personne encore ne m'a parlé comme vous venez de le faire.

Le garçon entonna en lui-même l'éloge de la franchise : tous les bourgeois ne sont pas foncièrement mauvais, souvent ce n'est qu'ignorance de leur part. Elle est assez naïve pour croire que nous touchons tous dix billets de mille tout neufs à la fin du mois.

— Comment voulez-vous qu'une vieille femme qu'on se plaît à tenir à l'écart sache ces détails ?

— S'il ne s'agit que de vous tenir au courant, madame, c'est facile.

— Vraiment, vous feriez ça pour moi ?

Pas pour toi, pour nous autres, pensa-t-il.

— Vous accepteriez de venir comme aujourd'hui pour me raconter ce qui se passe au bureau ?

Elle était comme une petite fille qui bat des mains. Il le fera sans augmentation, se figura-t-elle.

— Par exemple, la dactylo, mademoiselle... mademoiselle...

— Germaine.

— C'est ça. Vit-elle avec ses parents ? Que font-ils ?

Elle s'efforça d'écouter avec intérêt les réponses qui l'assommaient. Mais Vaillant avait pris à cœur de redresser les torts, il ne s'interrompait pas de parler. Elle glissa une question plus précise sur sa fille : ce n'est pas elle qui s'intéresserait au bien-être du personnel, elle ne pense qu'aux affaires, je crois qu'elle voudrait agrandir l'entreprise, n'est-ce pas ? Seulement Vaillant n'était fort que dans la psychologie et l'appréciation de la misère. La vieille le congédia tendrement en le priant de revenir. L'inattendue perspective d'une économie l'empêcha de commettre l'erreur de lui offrir une augmentation.

Dans l'antichambre, Vaillant sentit une main se poser sur la sienne. Mlle Amicie était là, qui lui faisait signe de se taire et de l'accompagner. Ils suivirent le couloir.

— M. Vaillant, dit-elle solennellement en levant le menton en direction du salon. Qu'est-ce qu'elle vous a dit ?

Il la regarda bouche bée.

— Comment savez-vous mon nom ?

— Elle est forte, très forte, continua Amicie sans répondre à sa question, mais je le sais.

Elle est toquée, se dit le garçon.

La vieille demoiselle avait déjà disparu. Il repartit avec un vague sentiment de contrariété.

Son activité revendicative dura exactement une semaine. Il s'entretint avec Tricot, avec Germaine, avec Roger. Bourré de renseignements, il retourna chez Mme Androuet.

Elle fut charmante, l'écouta, n'apprit rien qui puisse l'intéresser, hésita, se demandant si elle devait renoncer à l'aide de Vaillant qu'elle jugeait naïf, ce qui était vrai, ainsi qu'éhonté, ce qui ne l'était pas, parce qu'il parlait tellement de la gêne dans laquelle vivait Tricot, des deux fillettes de Roger. Il ne dit rien de lui-même, mais Mme Androuet n'y vit que de l'adresse. On n'a rien pour rien, pensat-elle à regret.

— Je vois qu'il faudra augmenter tout le monde de deux cents francs, dit-elle. Je dois m'y prendre prudemment, à cause de ma fille et de Huchet. Deux cents francs par mois : qu'en pensez-vous ?

Il applaudit.

— Mais je ne peux pas attendre le Nouvel An. Je ne vois pas quel prétexte je pourrais invoquer.

— Dites que le personnel est exploité, suggéra Vaillant.

— Je ne crois pas que cela suffise.

Et comme si elle venait d'avoir une idée :

— Voici ce que je vais faire. Je compléterai la somme de ma poche. Et puisque vous êtes là, autant commencer tout de suite.

Il rougit :

— Moi ?

Elle eut l'adresse de dire :

— Si Mlle Germaine était ici, j'aurais commencé par elle.

Il dut accepter, pour le bien de Germaine.

— Surtout n'en parlez pas encore au bureau, recommanda Mme Androuet.

Vaillant lui-même aimait trop surprendre plaisamment les autres pour ne pas la comprendre.

— Maintenant je le tiens, pensa-t-elle après son départ.

Au bureau il tint sa langue, sauf qu'au bout de quelques jours, il demanda à Tricot s'il n'avait pas eu des nouvelles de la grande patronne. L'autre le regarda, stupéfait. A la même question, Germaine répondit :

— Je n'ai pas eu cet honneur.

La fin du mois arriva, et Huchet l'envoya, une fois de plus, porter l'argent de la banque à Mme Androuet. En arrivant, il aperçut Amicie qui hocha la tête mais ne dit rien. La vieille dame l'accueillit par un : "Alors, quoi de neuf ?" qui sonna moins amical que les autres fois. C'est qu'elle avait des droits sur lui.

— Et les augmentations ? demanda-t-il confiant.

Elle avait oublié de quoi il s'agissait. Enfin, assez déplaisante :

— Pourquoi vous intéressez-vous tellement aux autres ?

Il en resta sidéré.

— Savez-vous si ma fille ou Huchet ont vu dernièrement des avoués ?

— Non, pourquoi ?

— Je veux le savoir.

— Comment ?

— Débrouillez-vous.

Il s'efforça de répondre, mais elle mirait les billets. Il s'en alla, malheureux, espéra revoir Amicie à la sortie : elle était introuvable.

Il n'y voyait que du brouillard. Tu n'as qu'à tirer au clair. Il chercha. Le soir, déjà couché, il fit les suppositions les plus insolites. Elle a voulu m'acheter, se dit-il enfin. Il bondit du lit.

Il écrivit à Mme Androuet la lettre la plus insensée, la rouvrit pour y glisser les deux cents francs que, par miracle, il n'avait pas dépensés et, bien qu'il fût tard, se rhabilla et courut la jeter dans la boîte. Il eut néanmoins suffisamment de bon sens pour s'attendre à être congédié le lendemain.

Mme Androuet fut assez embarrassée en recevant sa lettre, ce qui ne l'empêcha pas d'éprouver un plaisir physique à retrouver ses deux cents francs. Je me serai au moins vengé, avait pensé Vaillant, dont la lettre avait été conçue sur un ton de vertueuse indignation, autour du thème : "Madame, je ne suis pas à vendre. Ce n'est pas parce qu'un homme est pauvre", etc. Ce raisonnement laissa Mme Androuet de glace : le jeune homme ne l'intéressait point, et elle se fiait moins à ses déclarations qu'à sa propre expérience. Tout était à vendre, sauf certains arrangements avec Dieu, et encore : ce principe même, selon l'expression de Me Isabelle, souffrait quelques tempéraments. De là, l'utilité de l'Eglise, mais aussi, hélas, son manque d'efficacité. Mme Androuet avait avec Dieu des rapports complexes. Comme tant d'autres, elle affublait de ce nom ce que certains dénomment conscience, pourtant elle n'en faisait pas un dogme. A son Dieu particulier, elle allait jusqu'à adresser des prières qu'elle inventait elle-même et dans lesquelles elle se montrait passablement coquette.

A cette exception près, tout était marchandise. Plus fine que certains, Mme Androuet savait qu'il ne s'agissait pas seulement du prix, mais du mode de règlement. Elle jeta la lettre de Vaillant dans la corbeille à papiers et enferma les deux cents francs dans son secrétaire.

Le lendemain, Vaillant monta au bureau comme sur une barricade. Il ne pouvait deviner que Mme Androuet n'était pas en mesure de le dénoncer sans se trahir elle-même. A dix heures, M. Huchet l'appela. Ça y est, se dit Vaillant, et il décida de mourir en beauté. Dans l'accueil amical du directeur, il flaira une embûche.

— J'ai des papiers importants à faire porter à la banque Isnard, dit Huchet. Je n'ai plus confiance en Roger, il est tout détraqué depuis quelque temps. Voulez-vous vous en charger ?

Il regarda le pendule : elle marquait dix heures vingt.

— Alors, c'est entendu ? dit-il, et surtout n'oubliez pas de remettre l'enveloppe à M. Malphilâtre personnellement.

Il se sauva, laissant Vaillant se perdre en conjectures.

Carré sur la lunette, pendant quelques minutes, Huchet s'obstina, comme tous les jours à pareille heure, à éduquer son organisme. Le silence et la pénombre du lieu invitaient à la méditation. On sait que c'est au bain, qui n'est pourtant que d'un usage restreint, particulièrement en France, qu'Archimède découvrit la loi de la pesanteur. Combien d'eurêka n'ont-ils été poussés aux cabinets, dont un sentiment de pudeur a empêché de perpétuer l'origine au fil des siècles ? Thébaïde d'enfants désespérés, refuge sûr contre les scènes de famille, île déserte plantée au cœur de l'appartement, c'est le lieu de l'aisance la plus isolée où l'homme constipé lui-même apprend à espérer. Ainsi de M. Huchet.

A la fin de la guerre, il s'était trouvé directeur d'une fabrique de papier dans l'Isère, si petite qu'elle rendit le souffle sans même le concours d'une crise générale : un concurrent plus gros l'avait aspirée. Pendant son directorat, M. Huchet avait fait la connaissance d'une famille de la région, les de Trétaigne, noblesse de province, ruinée comme de juste. "Un coup de sort", avouait la maîtresse de maison. Soit trois générations de religion et de jachères. Mlle de Trétaigne, jaunie faute d'usage, avait toutes ses dents et autant d'années : son manque de menton était compensé par un nez charnu, long, exubérant, le nez des Trétaigne, et jamais grand nez n'a nui à joli visage ; au demeurant, d'une obéissance exemplaire. Elle ne désobéit qu'une seule fois pour épouser Huchet. Il était un bourgeois, moyennement riche, et étranger au pays. Il avait beau lire *L'Action française*, Mme de Trétaigne le traitait de haut. Blanche, qui se voyait condamnée à une existence de vieille demoiselle dans un trou de six cents habitants, d'autant plus amère qu'elle s'y était déjà résignée avant l'apparition de Huchet, s'emporta, pleura, menaça de s'enfuir.

— Et nos cousins de Saint-Affrique ? Et tante Caroline ? argumenta la mère, ébranlée par le projet de fuite.

— Des chimères, osa dire Blanche.

Elle luttait de toute la force de sa virginité insurgée. Le mariage se fit, les cousins de Saint-Affrique envoyèrent une cafetière en argent, tante Caroline, une pince à sucre, dont se servait encore quinze ans plus tard Mme Huchet pour rationner ses trois filles, Caroline, Gisèle et Blanche, sous prétexte que le sucre est mauvais pour les dents.

Elle ne s'était pas épanouie dans le mariage, ayant trop pris l'habitude du célibat. Au fur et à mesure des années, elle avait adopté contre son mari les idées de sa mère sur la mésalliance, sans doute parce qu'elle avait souffert de voir s'écrouler quelque vague idée de bonheur sans partage caressée dans sa jeunesse.

— Je suis républicain, moi, disait Huchet.

Il avait remplacé *L'Action française*, qui marque trop dans les affaires, par *Le Temps* . Il était directeur des établissements Androuet-Lacassagne et gagnait largement sa vie. N'empêche que Mme

Huchet détricotait le haut des vieilles chaussettes de son mari et gardait la laine pour en repriser d'autres de même couleur. Il va sans dire que les domestiques ne se plaisaient pas chez elle. Mme Huchet les choisissait neuves et jeunes.

— Ça n'a pas encore appris à voler et ça mange moins de pain, disait-elle.

Elle leur interdisait l'usage des cabinets, les obligeant, pour des raisons de morale, à monter faire pipi au septième, et les dressait à retirer la prise du fer électrique quelques minutes avant la fin du repassage. Au bout d'un an, elle les chassait, sans certificat.

— Je ne veux pas être impliquée dans un procès, disait-elle.

Elle s'en méfiait quand même et fermait à clé les buffets, les armoires et le placard de la chambre où s'entassaient des centaines d'échantillons de médicaments qu'elle se faisait offrir par un cousin médecin. De temps à autre, elle emprisonnait une mouche dans un sucrier, mais les filles étaient trop prudentes ou trop adroites : on retrouvait la mouche morte. Des parents, elle en avait à profusion, disséminés du nord au sud, qu'elle ne voyait jamais, se bornant à des échanges de faire-part. Elle n'en tenait pas moins une comptabilité de famille dont elle enseignait les éléments à ses filles.

— J'ai passé ma vie en deuil, constatait-elle, c'est comme ça, les familles nombreuses.

Il lui en restait pourtant quelque chose, dix-huit francs de rente par-ci, un manoir délabré par-là, reliquats des revers de fortune. Mme Huchet espérait davantage : elle avait deux tantes, toutes les deux riches et célibataires, toutes les deux s'appelant Caroline, d'où le prénom cumulatif de la fille aînée, l'une, celle-là même qui avait envoyé une pince à sucre au mariage, habitant la Gascogne, et l'autre, la Normandie. Mme Huchet écrivait pour leurs anniversaires et obligeait la petite Caroline à en faire autant et à signer "votre filleule". Son mari la blaguait :

— Eh bien, laquelle va mourir la première : la Caroline du Sud ou la Caroline du Nord ?

— Pas devant les enfants, se récriait Mme Huchet. Va, tu seras bien content un jour.

En attendant, Huchet s'était mis à jouer à la Bourse, et là, une fois de plus, il avait apprécié les conseils d'Anxionnaz.

— Suivez les Rothschild, avait dit l'agent d'assurances, avec les juifs, on ne risque pas de se tromper.

Huchet acheta des Penarroya. Prudent au début, il s'en était tenu au comptant, et comme c'était l'époque où tout montait, il prit l'habitude d'encaisser à chaque liquidation quelques milliers de francs. Il s'emballa, joua à découvert, sur le Rio Tinto, le Central Mining. Vers la fin 1929, il disposait d'un demi-million dont Mme Huchet ne savait rien, souriait à propos de 30 hectares 7 ares de prés dont elle venait d'hériter d'un cousin de Saint-Affrique, envisageait de s'associer à la maison qu'il dirigeait, devenir co-gérant avec Mme Lacassagne.

Par une journée grise de novembre 1929, la Bourse de New York s'écroulait.

Trahi par les juifs, pensa Huchet.

Le Rio Tinto tomba de 5250 francs à 3565, le Penarroya de 1075 à 430. C'était la ruine, la perte d'emploi, les ombres de tous les Trétaigne s'acharnant sur le malchanceux spéculateur.

Si j'allume la cigarette, se racontait Huchet, avec ce bout d'allumette où il y a très peu de soufre, les actions remonteront. Et il fumait le mégot jusqu'au bout.

— Surtout ne vendez pas, disait Anxionnaz. Les cours ont touché le fond, l'ascension va commencer.

Il lui obtint un emprunt, moyennant des billets

signés à six mois. Huchet s'obstinait à espérer : trois fois par jour, Roger descendait acheter les feuilles financières. Les nouvelles étaient mauvaises, les prix baissaient. La firme même était affectée : en six mois, les prix de la pâte bisulfite avaient fléchi de 14 francs, ceux de la pâte écrue, de 13 francs, des papeteries firent faillite, Mme Lacassagne sut arrêter les livraisons à temps, sans quoi c'était la culbute, mais des centaines de milliers de francs de commission étaient perdus. Anxionnaz, abandonnant le métier d'antiquaire et celui d'assureur, qui ne rapportaient plus, racolait les clients au mont-de-piété, s'abouchait avec des usuriers, toujours plus prospères, avec des huissiers qui instrumentaient du matin au soir dans une mer de protêts des impayés.

Ses billets venus à échéance, Huchet n'avait même pas de quoi payer les intérêts. Il puisa dans le coffre-fort, profitant d'une absence de Mme Lacassagne, et vécut dans la terreur du bilan. Le plus dur était de blaguer comme il avait aimé le faire, de rudoyer le personnel. Combien plus facile de s'apitoyer sur les faillites des maisons vieilles de cinquante ans, de condamner les banquiers véreux, les caissiers indélicats : il n'y avait qu'à laisser s'exhaler les regrets, les remords. Jamais sa vertu n'avait été aussi farouche. Seule la chute de la famille Rothschild aurait pu le consoler, mais elle demeurait solide, tandis que lui était fait, fait comme un rat. Prêt à mordre, il mordait les juifs, source de ses malheurs.

Ce fut Anxionnaz, soucieux de voir ses billets payés, qui suggéra à Huchet une idée.

— Vous êtes au moins sûr de la probité de votre personnel ? demanda-t-il un jour, et sur la réponse affirmative de Huchet, laissa entendre que, dans des circonstances exceptionnelles, c'était regrettable.

— S'il se produisait un trou à la caisse, insinua-t-il.

— Vous êtes fou, s'écria Huchet avec une véhémence telle que l'agent d'assurances comprit la vérité.

Il n'en laissa rien voir.

— Les temps sont bien incertains, dit-il. Je voulais simplement vous mettre en garde.

Il n'en fallait pas plus à Huchet.

Il persuada à Mme Lacassagne qu'il leur manquait un employé aux écritures, passa une petite annonce, refusa deux candidats avec des dizaines d'années d'expérience et une demoiselle dont les références étaient immaculées, engagea Vaillant. C'était l'homme dont il avait besoin, bien qu'il l'eût préféré juif. Il était jeune et pauvre, et voilà l'essentiel.

Vaillant ne pouvait comprendre que Huchet le désigne à la place de Roger pour porter les billets à Mme Androuet. Le directeur le chargea d'autres courses importantes, l'envoya à la banque Isnard, lui confia des chèques au porteur, des sommes d'argent de plus en plus élevées, le fit surveiller par Anxionnaz, lui expliqua le fonctionnement du coffre-fort et s'en remit pour le reste au mépris qu'il éprouvait à l'égard des meurt-de-faim. Lorsque l'agent d'assurances vint lui rapporter que le garçon était un révolutionnaire, un communiste sans doute, Huchet crut triompher. Or Vaillant avait la naïveté d'être honnête. Le directeur songea à le congédier, mais au dernier moment il se ravisa. Un nouveau projet venait de lui apparaître, d'une simplicité lumineuse.

Pour travailler, Vaillant mettait une veste d'alpaga et accrochait son veston de ville dans le couloir. Un jour d'échéance, Huchet prit une liasse de dix mille francs dans le coffre-fort entrouvert et la glissa dans la doublure de Vaillant. Puis il attendit le retour de Mme Lacassagne.

Il faillit ne pas répondre au téléphone. C'était sa femme. Elle caquetait d'émotion.

— Qu'est-ce qui se passe ? cria Huchet.

— Tante Caroline est très malade. Je viens de recevoir un télégramme. Je pars pour Mirande.

— Bon, j'arrive.

Il raccrocha dans un frémissement de tout son être.

La Caroline du Sud, la plus ladre et riche des deux, sur le point de se transformer en héritage. Poussé par la conscience, il courut dans le couloir, retira les billets de la doublure, referma le coffre-fort. En se rhabillant à midi, Vaillant découvrit sa doublure décousue, sans se douter combien près il avait été de la richesse et de la prison.

Huchet trouva sa femme en train d'emballer sa tenue de grand deuil et, à tout hasard, quelques échantillons de médicaments. Déjà, elle s'entraînait à pleurer.

— J'ai toujours été sa préférée, tu te rappelles la pince à sucre ? dit-elle en essuyant une larme.

Emu, reconnaissant, Huchet l'embrassa du bout des lèvres.

Elle écrivit le lendemain de son arrivée. Au chevet de tante Caroline mourante, Mme Huchet avait rencontré une autre parente qui avait pris deux jours d'avance, gain inestimable. Un duel de captation s'engagea, dans la maison aux volets mi-clos, aux fenêtres garnies d'espions. La parente arrivée la première avait l'avantage. Mme Huchet égalisa en enseignant à la vieille bonne comment frotter les parquets avec un balai enveloppé dans un vieux béret qui, lavé tous les mois, pouvait resservir indéfiniment, attention qui toucha la moribonde. Mais la rivale s'assura perfidement l'appui du prêtre. Aux grands maux les grands remèdes, se dit Mme Huchet. Elle télégraphia à son mari : "Envoyer Caroline urgence." L'arrivée de la petite, avec son teint chlorotique, son grand nez des Trétaigne et son prénom, fut décisive.

Huchet put regarnir le coffre-fort, rembourser l'usurier. Il respira. Trois semaines plus tard, la Bourse fléchissait de nouveau. Tout était à recommencer. Vaillant ne risquait pas de perdre sa place.

Il en était cependant convaincu, attribuant à du sadisme le répit que le directeur lui avait donné en l'envoyant une deuxième fois à la banque Isnard. L'amabilité de Huchet, les histoires cochonnes qu'il racontait l'irritaient comme une complicité imposée. A la banque, M. Malphilâtre, l'ancien anarchiste qui zézayait, le reçut en caressant sa barbe soyeuse, supérieur et correct.

— Ze vous dois une signature, dit-il avec un soupçon de sourire de l'homme qui sait des choses. Il prit un bordereau rose, choisit un stylo, signa longuement de deux initiales indéchiffrables enveloppées d'un luxuriant paraphe qui, par son jaillissement, ses méandres et son retour final sur soi-même, tenait à la fois de la fontaine, de l'examen de conscience et du scorpion.

— Ze vous salue, monsieur, dit-il avec une exquise courtoisie.

Vaillant s'en alla. Malphilâtre l'avait impressionné avec ses doigts fins ornés d'une chevalière et inconsciemment, il l'imita, sans entreprendre de zézayer.

Le grand repas se poursuit. Boulet raconte à Germaine, sa voisine :

— Le médecin voulait m'endormir pour m'opérer de la sinusite.

Et, avec assurance :

— J'ai servi dans les dragons !

Il se penche en avant, agite devant les invités complaisants un vieux souvenir tricolore, tout en haillons :

— C'est le cousin de Rocher, un gentil garçon. Il a été le premier officier français blessé en quatorze ou, du moins, il le disait, et il n'en était pas peu fier. Décoré, bien entendu. Un jour – on était déjà en seize – il apprend que dans un régiment voisin, un capitaine prétend être le premier blessé français de la guerre. Aussi rapidement que possible, il voit le bonhomme et imaginez-vous, ils arrivent à établir qu'ils ont été blessés tous les deux le même jour, dans des secteurs éloignés de plusieurs centaines de kilomètres.

— Il est de ces coïncidences, soupire Mme Lacassagne, et les invités observent une demi-minute de silence en souvenir de M. Lacassagne tombé à la guerre.

Tricot se penche vers Germaine.

— Le soldat, dit-il à mi-voix, qui ose s'aventurer jusqu'à la Brèche de Roland dans les Pyrénées, et rapporter de là une petite pierre de granit, est invulnérable aux périls de la guerre.

Eric avait beau se souvenir de sa dernière visite chez Claude, sa mémoire de l'amour demeurait obscure, ambiguë, équivoque.

Les réverbères lançaient des rayons d'ombre. Des amoureux se figeaient sur les bancs. Des autos passaient, deux taches claires de visages confondues sur la banquette. Les lumières escaladaient la rue de Belleville, un chien, sorti d'une ruelle, suivait Eric, prêt à s'enfuir.

L'escalier était désert, sa chambre, déserte. Aucune main en son absence n'avait déplacé le moindre bout de papier, seules les mains de femme déplacent en votre absence les bouts de papier, la table prend un air de fête, et les draps sont frais et lisses.

Enfin, le sommeil venait l'engourdir. Il se réveillait, indifférent, si à l'aise dans le trou que son corps s'était creusé, jusqu'à l'instant où la vie lui revenait, et la mémoire.

Le lendemain, le reflux commençait. D'abord, la honte de s'être laissé aller, heureusement sans témoins. Le chien mélodramatique, toute cette eau de boudin des sentiments dans laquelle il avait pataugé. Il se voulait fort, indépendant, libre. Surtout ne pas perdre le sens critique, diriger les événements. Il s'accusait d'avoir joué à l'épave. Il y avait au monde des choses autrement importantes que deux sous d'amour. Si ça te démange tellement, va donc au bordel.

Subrepticement, les rêves le reprenaient. Il se défendait : les incompatibilités ne se suppléent pas. Et si le soir, en rentrant, il trouvait, glissée sous la porte, une lettre de Ginette, non, une enveloppe, d'une écriture de femme inconnue, qu'il déchirerait pour lire, non, qu'il garderait dans sa poche, pourquoi la garderait-il ? On serait venu l'interrompre, la concierge serait venue l'interrompre pour lui dire que, dans la journée, un monsieur l'avait demandé, une dame l'avait demandé, très belle, en tailleur, tout cela à propos d'une lettre, et l'on n'écrit pas si l'on vient, on peut laisser un mot si l'on n'a trouvé personne, mieux, écrire et venir, poussé par l'impatience, non, écrire pour annoncer qu'on viendrait, et la lettre a manqué la première distribution, il n'était pas là pour la recevoir, mais il allait lui téléphoner, courir chez elle, prendre rendez-vous dehors, elle reviendrait, idiot ! n'avoir pas ouvert cette lettre, quelle lettre ?

Le soir, au lit, il sauvait Ginette, dans un incendie, ah ! cette petite veine bleue à la naissance de la main, et tout était à recommencer.

Ainsi, de semaine en semaine, Ginette lui devenait plus proche, plus familière, il se mettait à avoir des droits sur elle, sans qu'elle s'en doute seulement. Il aurait été bien embarrassé si Ginette elle-même avait fait irruption dans sa vie. Le fait de son existence suffisait. C'est d'un besoin de tendresse qu'il était surtout amoureux. Il en était d'autant plus fort pour juger les hommes et les choses. Rien ne le satisfaisait. Huchet, Mme Lacassagne, autant de fantoches malfaisants. Mais ceux qui les faisaient vivre n'arrivaient pas davantage à fasciner Vaillant, ni Tricot incrusté dans le calcul des bénéfices d'autrui, ni Roger qui croyait commander au sort à coups de verre blanc brisé. Germaine, au moins, se permettait de brèves rosseries au sujet des patrons, mais cela se terminait par des espoirs d'augmentation en fin d'année. Elle était intéressée, et Vaillant, tout en s'étendant sur les revendications immédiates, eût voulu un dévouement total, œuvrant pour le bien d'une humanité misérable, affamée, immarcescible et souffrant à son tour pour d'autres, des générations futures sans doute. Il y avait loin de ce sommet à " l'homme n'est pas de fer" de Tricot. Ce que Vaillant voulait sans le nommer, c'eût été justement des hommes de fer pour pouvoir leur vouer tout son enthousiasme. Germaine n'avait ni la curiosité ni la générosité de Ginette.

Ainsi tout le ramenait à Mlle Lacassagne. Elle avait pris, dans ses rêves, des habitudes, venait chez lui, en son absence, déplacer des bouts de papier, risquait complaisamment l'eau et le feu pour lui donner l'occasion de la sauver une fois de plus, se faisait réelle au point de se laisser caresser la main sans actes d'héroïsme préalables. Il s'emporta même jusqu'à formuler des déclarations d'amour.

Il ne s'en trouve pas à la douzaine, ni sous le pas d'un cheval ; l'usage s'en est perdu, si tant est qu'il a jamais été commun, et personne ne sait s'en servir en dirigeant la lame du bon côté, de bas en haut, à toute volée vers le cœur. Plus tard, en se souvenant, on croit qu'on sait, qu'on pourrait, mais il n'en est plus rien resté que deux pronoms personnels et la première personne du présent de l'indicatif du verbe *aimer*, verbe type de la première conjugaison.

Oh ! tous les écoliers en tablier noir de France qui ânonnent :

— J'aime, tu aimes.

Eric les enviait, les innocents chérubins morveux.

Roger sert toujours. Il se penche vers M. Huchet qui se renseigne :

— Qu'est-ce que c'est ?

Roger murmure :

— Foie gras au porto.

Huchet ne peut s'empêcher d'émettre un coup de sifflet entre les dents.

— Vous pouvez y aller ! dit-il.

Tine avait attiré Ginette, l'avait prise sur ses genoux.

— Ecoute-moi, Ginette. J'ai des ennuis, très graves, comme je n'en ai jamais eus. Je n'ai personne au monde sauf toi.

Ginette hocha la tête : ni l'une ni l'autre n'avait songé à Irma.

— Je te raconterai tout, tu seras juge. Non, pas aujourd'hui, plus tard. Mais en attendant, ne m'abandonne pas, une vieille femme comme moi a besoin de tendresse, dit la grand-mère avec un rien de coquetterie.

Emue, Ginette regardait les paupières bistrées, les yeux encore si jeunes et qui semblaient s'embuer. Elle sentit sa gorge se serrer.

— Tine, oh, Tine, dit-elle en s'efforçant de sourire bravement d'une minable voix de petite fille, et elles pleurèrent toutes les deux, enlacées, l'une de la méchanceté des hommes, de la vieillesse, l'autre d'être bercée comme au temps des ombres, de sentir en elle et autour d'elle tout cet amour diffus.

Tine se reprit la première.

— Nous sommes deux sottes, ma Ginette, dit-elle.
Elle tamponna ses yeux, ceux de la jeune fille.

— Va, file maintenant. Il est bien gentil ton Eric.
Tu peux l'inviter ici autant que tu veux.

Quarante années d'habitudes bourgeoises et parisiennes n'avaient fait que renforcer la méfiance paysanne de la fille du boulanger de Mainmorte. Mme Androuet avait écouté Me Isabelle. Lui parti, elle envoya Marie acheter le Code civil. Elle n'y apprit rien de nouveau, sauf que l'avoué avait dit vrai. Les phrases brèves et limpides rendaient un son déplaisant. "Tout parent est recevable à provoquer l'interdiction de son parent. L'interdit est assimilé au mineur, pour sa personne et pour ses biens. Un enfant peut donc provoquer l'interdiction de son propre ascendant. Ajoutez les sentiments d'affection, la communauté de nom, des motifs de sûreté personnelle, l'interêt pécuniaire. Le conseil de famille peut déférer la tutelle à celui qui a provoqué l'interdiction, à un enfant de l'interdit."

— L'intérêt pécuniaire, répéta Tine. Le fils de l'interdit ou sa fille, sa fille.

Irma n'était pas femme à courir des risques sans être sûre du succès. Il devait y avoir quelque part une trappe. Peut-être existait-il un autre code ? Mme Androuet s'informa prudemment, au compte-gouttes, auprès de Vaillant, de Ginette, de quelques voisins, de sa cuisinière même.

Elle apprit l'existence du Code criminel, des codes de procédure, finit par s'y perdre, tiraillée entre ces deux idées : puisque je ne suis pas folle, on ne peut rien contre moi, et : Irma doit savoir des choses que j'ignore. Elle se dit qu'il devait y avoir des cas d'interdiction, lut dans les journaux la chronique du palais. Il y était question de faillites, d'escroqueries, de vols et toujours d'argent.

A en croire la loi, l'incapacité personnelle de

l'interdit date du jour du jugement et il en est ainsi même pendant le délai de l'appel et dès avant la signification du jugement ; bien plus, l'incapacité résulte du jugement lui-même, c'est-à-dire de la prononciation à l'audience.

Elle lisait que des aberrations partielles et à plus forte raison de simples bizarreries de caractère ne peuvent autoriser l'interdiction. Elle se sentait soulagée, sauf qu'elle déchiffrait, hélas, que le premier germe de la folie réside presque toujours dans la raison elle-même.

Mme Androuet s'adressa, au nom de son amie imaginaire, à Me Isabelle. Avec des éclats de voix qui faisaient trembler la membrane du téléphone, il s'offrit à faire rechercher, dans la *Jurisprudence générale*, des jugements d'interdiction.

Ainsi Mme Androuet fit la connaissance d'une dame Guillaume : la mort lui ayant enlevé sa mère et ses deux enfants, des pertes aussi douloureuses lui causaient une telle émotion que son entendement ne tarda pas à en être ébranlé et qu'elle fut bientôt plongée dans la plus sombre mélancolie. Toutes les fois que l'imagination de la dame portait sur l'objet de ses chagrins, sa raison l'abandonnait.

Ensuite venait une dame Rouget, poussée à des voyages continuels par un besoin de locomotion sans motif et sans but ; une dame Vindry qui, dans un bail, avait admis une clause aux termes de laquelle les locataires avaient le droit de faire telles constructions et réparations qu'ils jugeraient convenables aux frais de la propriétaire ; une dame Guillemot, qui avait substitué à sa tendresse de mère les sollicitudes les plus extravagantes envers ses enfants que les hallucinations de son esprit malade lui montraient infectés de maux ou de vices les plus honteux. Il y avait aussi des hommes, le sieur Bolut, attaché au projet de réduire sa famille à la misère sans autre mobile qu'un sentiment de haine et vengeance aveugle, le sieur Fléchet, dont la manie raisonnante ou folie lucide se manifestait par une défiance excessive qui le rendait incapable de gouverner ses biens et sa personne et faisait de lui un véritable maniaque ; le sieur Baumès, voué dès sa jeunesse à l'état militaire, dont la démence avait pour cause un orgueil et une estime de soi-même poussés jusqu'au délire, et qui se croyait seul fait pour commander aux hommes et seul capable de faire leur bonheur.

Tous les soirs, ces vieillards venaient tenir compagnie à Mme Androuet, dans le grand salon encombré de meubles. Ils parlaient articles du Code et ingratitude des enfants.

— On ne peut considérer comme dépourvue d'intelligence, disait l'un, et comme étant dans un état habituel d'imbécillité, de démence ou de fureur, la femme âgée qui a peur qu'on lui prenne son bien et qui ne peut compter les pièces d'or qui lui ont été présentées.

Tous hochaient gravement la tête, et un autre reprenait :

— Mais il y a pas lieu d'interdire la personne qui, sans être dans un état continu d'imbécillité, de démence ou de fureur, se laisse entraîner à une exaltation d'idées et de passions dont la violence va jusqu'à lui ôter son libre arbitre.

— Moi, par exemple, se disait Mme Androuet.

De nouveau tous opinaient de la tête, et le premier reprenait :

— Mais il n'y a pas lieu d'interdire une femme âgée qui, par les réponses faites au juge dans l'interrogatoire qu'elle a subi, a montré qu'elle jouissait de son bon sens et de sa mémoire, sous prétexte qu'elle a manifesté la crainte non justifiée d'être dépouillée de ses biens.

— Et moi qui le redoute ? s'interrogeait Mme Androuet.

Tous étaient d'accord, et Pierre Baumès, qui était officier de Napoléon, disait avec son accent du Midi :

— Il n'y avait ni interstice de démence dans mes discours et dans ma conduite privée, ni moments lucides sur lesquels mon jugement était dérangé. J'étais constamment sage ou constamment fou, selon les objets qui occupaient mon imagination. Et pourtant, j'ai été interdit.

— J'ai été interdite, disait la dame Bolut.

— J'ai été interdite, disait la dame Vindry, et tous répétaient les même paroles.

— Je ne suis pas folle, moi non plus, se révoltait Mme Androuet.

— Mais j'étais vieille et j'avais des enfants. Je ne suis pas vieille, moi non plus, mais j'étais riche et j'avais des enfants. Je n'étais pas bien riche, moi, mais j'avais des enfants.

— Attendu que la défenderesse, disait la voix.

— Je suis la défenderesse, pensait Mme Androuet.

Déjà, elle s'observait.

Huchet vint la voir un jour.

— Alors, chère madame ?

— De quoi s'agit-il ?

Il rit.

— Vous me le demandez à moi ? Mme Lacassagne m'a dit que vous vouliez me parler.

— Ma fille ?

Elle eut une peur atroce.

— Mais oui, dit-il. Vous l'avez oublié ?

Elle surprit son regard attentif.

— En effet, et elle sourit. Que je suis bête. Ma fille a dû vous parler de ses projets de transformation. J'ai confiance en votre jugement d'homme.

Elle savait que Huchet avait menti – elle n'avait pas vu Irma depuis des semaines – et qu'il n'était pas dupe de ses mensonges à elle.

— Quand ma fille vous a-t-elle fait la commission ? demanda-t-elle.

Il sourit sans rien répondre.

— J'ai été interdit, s'interposa le sieur Fléchet.

L'air était lourd de précédents.

— Je reviendrai un autre jour, si vous êtes souffrante, dit Huchet.

— Restez.

Il était parti.

Une semaine plus tard, Marie vint dire qu'un bout d'homme demandait à voir madame. Il n'a pas voulu dire son nom.

— Madame, M. Huchet m'envoie vers vous.

Il était menu, propret, parlait d'une voix fluette.

— C'est au sujet de cette assurance.

— Quelle assurance ?

— Celle dont vous avez parlé à M. Huchet.

Jamais elle ne lui en avait parlé : de cela, elle était sûre.

— Erreur de ma part, erreur de ma part.

— Vous êtes lié avec M. Huchet ? s'informa-t-elle.

— Il me fait l'honneur de me compter parmi ses amis.

— Il vous envoie pour m'espionner ?

Il leva les deux bras.

— Voyons, madame. Ah, le vilain mot ! Je vous assure que vous vous méprenez.

— Alors, c'est Irma.

Les sourcils du petit homme montèrent dans un visage immobile.

— Irma ?

— Vous ne la connaissez peut-être pas ?

Ses traits ne bougeaient pas, seul l'œil gauche se ferma lentement.

— Si, dit-il mystérieusement, mais ce n'est pas la même.

— Comment vous appelez-vous ?

L'œil se rouvrit.

— Pierre Baumès, dit le bonhomme, mais chut !

— Pierre Baumès ? L'officier ?

Un tressaillement parcourut la tempe droite du visiteur.

— Parfaitement, dit-il, et que cela reste entre nous. Elle le regardait, hébétée, ne sachant plus lequel d'eux était fou. Il posa l'index sur l'aile du nez.

— Alors, Irma ? interrogea-t-il avec intérêt.

— Partez, partez, cria Mme Androuet.

— Je prends le large.

— Vous n'êtes qu'un sieur, hurla-t-elle.

Il fit une pirouette, se baissa. En se relevant, il tenait entre les mains une mallette dont il sortit une fourrure de renard. Elle flamboya, magnifique, dans la pénombre. Mme Androuet se cacha le visage entre les mains pour ne pas voir ses reflets fauves.

— Ce n'est pourtant pas cher, dit l'homme, une véritable occasion. A votre place, je n'hésiterais pas.

Derrière lui, se profila Marie, attirée par les cris de sa maîtresse.

— Enfin, je me suis fait un principe de ne jamais insister auprès de mes clients.

Et il remit la bête dans la valise.

— Alors, en vous remerciant bien. Au revoir, madame.

Elle se précipita sur le téléphone.

— Monsieur Huchet, quel est cet affreux petit que vous m'avez envoyé ?

Il y eut un silence à l'autre bout du fil, puis une voix navrée :

— Mais je ne comprends pas, chère madame. Je ne vous ai envoyé personne.

Anxionnaz se souriait, content de lui-même. Son plan avait réussi au-delà de ses souhaits. Un témoignage de plus qui viendrait s'ajouter à celui de Huchet, à tous les autres. Il changea la mallette de main : il n'avait guère de force. Le renard qu'il s'était fait prêter par un fourreur pour le présenter à Mme Androuet lui servait d'alibi.

Tine se dit que le moment était venu de procéder à la grande donation en faveur de sa petite-fille le plus vite possible et d'une façon définitive. Elle s'arma du Nouveau Code civil qu'elle possédait déjà, le posa sur sa table de toilette, prépara du papier, des crayons, s'assit, chercha le chapitre qui la concernait. Il n'était question que de successions, de testaments : aucun intérêt. Et pourtant c'est en déchiffrant l'article 923 qu'elle sursauta, dévora une expression que Me Isabelle n'avait mentionnée qu'en passant : les donations entre vifs. Elle saisit un crayon, recopia le commencement de l'article : "Il n'y aura jamais lieu de réduire les donations entre vifs" ; il s'agissait bien d'elle et de Ginette.

Elle déchiffra un article après l'autre, s'efforçant d'en deviner le sens précis et transcrivant certains passages : sans doute qu'à force de les écrire elle les comprendrait mieux. L'article 932 parlait, lui aussi, de donation entre vifs qui "n'engagera le donateur que du jour qu'elle aura été acceptée". La donatrice, se disait-elle, mais acceptée par qui ? Par Ginette ? Ou par la justice ? Elle se creusait la tête. L'article 938 intervenait à son tour pour lui chuchoter à l'oreille : "La donation dûment acceptée sera parfaite par le seul consentement des parties." Donc, moi et Ginette, triomphait Tine, qui s'interrogeait aussitôt : dûment acceptée par qui ? Certains mots étaient limpides : donateur, c'était elle, donatrice, mais que signifiait donataire ? Elle levait la tête, abandonnant le cheminement des articles de loi, pour se contempler dans le miroir de toilette à la recherche de la bonne réponse. Le front se plissait, les traits se rembrunissaient dans l'espoir d'une découverte. Il y en avait plusieurs, toutes contradictoires.

Soudain, elle se sourit dans la glace, se cligna de l'œil, dit à son reflet :

— Tant pis ! Ginette et moi, les deux vifs. Et les deux signatures. Mais tout de suite.

Elle se précipita vers le téléphone.

Anxionnaz trottait toujours, content de lui, et tant pis si la mallette avec la fourrure était lourde.

Soudain, un souvenir le frappa, qui le fit s'arrêter au milieu de la rue des Halles qu'il était en train de traverser. Ce Pierre Baumès, dont, à la faveur d'une inspiration, plongé comme il l'était depuis des semaines dans la *Jurisprudence générale*, il avait emprunté le nom, comment la vieille dame savait-elle que c'était un officier ? Donc elle a lu les auteurs, donc elle est au courant de tout. Il n'y avait pas une minute à perdre.

— Nous avons tous les éléments en main, expliquait-il une heure plus tard à Mme Lacassagne.

Il compta sur les doigts :

— Perte de mémoire, et d'un. Excès de distraction, et de deux. Visions, et de trois. Haine injustifiée de sa famille, et de quatre. Avec des intervalles lucides, bien entendu.

Au dernier moment, Irma eut envie de renoncer. En cas d'échec, elle était perdue.

— Après tout, c'est ma mère, dit-elle.

— Vos sentiments vous honorent, dit Anxionnaz, mais nul n'est mieux à portée d'apprécier l'état mental d'une personne que ses enfants, sans parler des sentiments d'affection, de la piété filiale, de l'intérêt pécuniaire des descendants, enfin.

Il ajouta doucement :

— De toute façon, madame votre mère est au courant.

Irma sursauta et fouilla son bureau à la recherche de ses lunettes.

— Vous dites ?

Anxionnaz lui parla de Pierre Baumès :

— Un homme qui raisonnait avec justesse et discernement, et dont la conduite dans les affaires privées n'avait rien que de très sage.

Irma ne l'écoutait plus.

— Ainsi elle sait.

D'un mouvement sec, elle remit ses lunettes.

— Vous m'avez parlé d'un avoué, dit-elle.

Elle ne dormit pas de la nuit.

Le matin, sur le chemin du bureau, elle mit à la poste un pneumatique pour Anxionnaz. Il vint vers seize heures, léger, sautillant.

— Voici, dit-il. Vous permettez que je vous le lise.

Il lut :

— "A Monsieur le président du tribunal, etc. Mme Irma-Victorienne-Marie Lacassagne, née Androuet, etc., ayant pour avoué, etc., expose que Mme Ernestine-Mélanie-Victoire Androuet, née Alloz, sa mère, propriétaire, demeurant, etc., est dans un état habituel de démence, tel qu'il est de son propre intérêt et de celui de sa famille que son interdiction soit prononcée. Voici les faits qui motivent la demande de l'exposante, et la suite, et la suite. C'est pourquoi, il vous plaira, Monsieur le président, attendu que les faits ci-dessus articulés prouvent suffisamment l'état de démence de ladite dame Androuet ; ordonner que ladite Ernestine Androuet demeurera interdite après l'observation des formalités voulues par la loi ; déclarant l'exposant qu'il produit pour justification des faits ci-dessus articulés, deux pièces qui sont, et la suite, et la suite, et en outre pour témoins desdits faits, les sieurs Joseph Anxionnaz, courtier d'assurances, et Roger Blin, garçon de bureau, demeurant, etc."

Irma s'informa :

— Pourquoi Roger ?

— Il témoignera que la dame réclamait des billets de banque tout neufs, exigeait qu'ils soient remplacés s'ils étaient usés et les contemplait à la lumière du jour.

— Mais à présent, c'est Vaillant qui remplace Roger.

— Je me méfie de lui.

Elle réfléchit, se renseigna encore :

— Et supposez qu'au lieu de prononcer l'interdiction, la Cour se borne à nommer un conseil judiciaire ?

— Ce serait grave si vous n'étiez pas une héritière réservataire. Du reste, mettons que ce conseil soit un homme d'affaires en qui vous avez confiance, M. Huchet par exemple.

Elle eut un dernier scrupule :

— Et si des experts venaient contester le fait même de la maladie ?

— Oh, madame, à chaque expert, on trouve un contre-expert, trop content de dénigrer son collègue.

— Vous me laisserez ce projet, décida Irma, et vous préviendrez l'avoué que j'irai le voir demain à dix heures.

Elle se revoyait, dans le confessionnal, première communiante, avouant qu'elle était pécheresse à l'égard de son père et de sa mère, et le curé décrétant qu'il faut aimer ses parents. Elle s'imagina Mme Androuet, se dit que puisqu'elle serait interdite, il était indispensable, obligatoire, essentiel, impérieux – et elle n'arrivait pas à épuiser les superlatifs – de prendre soin et garde d'elle.

Toujours dans son salon, Tine relisait les instructions officielles, apprenait qu'au nombre des dettes à réduire de l'actif, on doit comprendre les frais funéraires du défunt, le deuil de sa veuve, et revivait Victorien et elle-même.

L'agent d'assurances se rendait compte qu'en aidant Huchet à l'emporter sur Mme Androuet au profit de Mme Lacassagne, il se garantissait jusqu'à la fin de sa vie une aisance comme il n'en avait jamais connue. Circonspect de nature, il s'appliquait pour l'instant à se procurer un gagne-pain modeste. En attendant de faire triompher Huchet, c'est donc à son épouse qu'il rendit visite pour lui présenter le renard qu'il avait déployé devant Mme Androuet et espérait vendre au profit d'un fourreur de ses relations, donc au sien propre, sans oublier que, lors de sa visite chez la grande patronne, la présence de ce pelage devait lui servir d'alibi.

Mme Huchet l'examina, souffla entre les poils, souleva la doublure qui s'était défaite à un endroit, pour s'assurer que la peau n'avait pas été cousue de plusieurs pièces. Anxionnaz parla d'investissement.

— C'est un luxe, dit-elle.

— Auquel une femme comme vous a droit.

Il n'ignorait rien des vanités cachées de Mme Huchet. Il fallait les flatter ou blesser pour les faire paraître.

Elle hésita.

— Surtout, rappela-t-il, depuis l'héritage que vous avez fait.

C'était une erreur : elle lui jeta un coup d'œil méfiant. Il fit mine d'oublier le renard, parla des enfants.

— Oh, mon petit monde va bien, dit Mme Huchet, radoucie. Mais j'ai eu une belle frayeur. Le mois dernier, la petite Blanche ne profitait pas du tout.

Anxionnaz exprima, à son tour, un soupçon d'effroi.

— Mais vous connaissez les mères, rappela-t-elle. Une mère voit tout.

Il hocha la tête avec gravité : il était censé connaître les mères.

— Je lui ai donné du vermifuge, continuait Mme Huchet, le deuxième jour elle m'a fait un énorme ver, et depuis, rien. J'aime bien ce renard, dit-elle en passant d'un sujet à l'autre et se décidant brusquement. Parlez-en donc à mon mari.

La vente de la fourrure n'aurait laissé à Anxionnaz que trois cents francs, cinq cents au plus. Habitué par la malchance à voir petit, il s'empressa de rendre visite à Huchet.

A son étonnement, son protecteur posa une condition.

— N'en parlez à personne, surtout pas à ma femme. Si elle vous interroge, dites-lui que ça n'a pas réussi. Je veux lui faire une surprise.

A peine l'héritage de tante Caroline avait-il sauvé le directeur, l'intégrité du coffre-fort et celle de Vaillant, que de nouveaux ennuis l'assiégeaient, d'ordre sentimental.

Je n'aurai jamais la paix, se dit-il.

Germaine, après lui avoir passé toutes ses fantaisies, faisait la fière : elle avait même refusé de venir au dernier rendez-vous. Leur liaison, qui durait depuis trois ans, avait pourtant pris des airs de famille : Huchet n'avait même plus à dépenser des mots d'esprit qu'il avait accumulés dans les premiers temps. Au début, au lieu de faire des cadeaux à Germaine, il augmentait tous les ans, à Noël, ses appointements ; ainsi ses amours passaient dans les frais généraux des établissements Androuet-Lacassagne. C'était trop beau.

Huchet, qui avait coup sur coup tiré de sa femme trois filles, l'évitait autant que possible. Les histoires égrillardes ne suffisaient pas à le calmer, il avait trouvé, derrière Saint-Sulpice, une institution fort petite et discrète que fréquentaient volontiers les curés de province. Le voisinage du séminaire donnait à l'endroit un air de respectabilité ; on s'attendait à voir, au-dessus des lits, des crucifix ; du reste, ces dames allaient à la messe. M. Huchet, qui y avait des habitudes, s'y rendait toutes les semaines : on l'attendait. Mais tout se paie, même la possibilité d'un crucifix, or le directeur aimait à répéter :

— Je connais la valeur de l'argent.

Huchet résolut le problème, grâce à Germaine. C'était une solution comme on ne s'en propose que dans des rêves éveillés : le plaisir sans obligation, "et gratuit comme l'enseignement primaire", souriait Huchet qui faisait des mots jusque dans la solitude.

Il n'allait jamais chez elle, ne la sortait pas. Un petit hôtel où ils arrivaient et qu'ils quittaient séparément servait de cadre à des ébats que l'établissement du quartier Saint-Sulpice aurait réprouvés : Huchet avait le cervelet imaginatif. Germaine s'y prêtait, les yeux refermés sur Rudolf Valentino.

La nature l'avait dotée d'un corps menu et d'attaches épaisses, d'un bassin bien planté sur des jambes trop courtes, de fesses qui devaient saillir en vieillissant. Pour le visage, un nez retroussé qui allait mal avec le menton gros, et un front haut, étroit, bombé, d'une beauté que Germaine ne se connaissait pas et où l'indéfrisable avait éparpillé quelques frisettes floconneuses. Cette permanente bon marché qui brûle et tord le cheveu sans l'onduler était, avec le rouge à lèvres et la poudre de riz blanche, la contribution personnelle de Germaine à l'œuvre de la nature. Elle eût aimé y ajouter un fard bleu sous les yeux, rendant l'harmonie tricolore, mais elle n'osait pas. Du reste, elle se plaisait : il faut si peu pour aimer un miroir à vingt ans.

Germaine en avait vingt-deux, et était bien décidée à ne pas coiffer Sainte-Catherine. Elle était sortie, six ans plus tôt, d'une école commerciale où elle avait appris à sténographier les deux cents mots qu'allaient lui dicter ses futurs patrons et à jouer de la machine à écrire, ce piano des jeunes filles pauvres. A six heures du soir, des garçons attendaient les élèves à la sortie du cours ; Germaine eut, debout et sur des bancs, sa part de cet amour en dentelles, tout de bises et d'agaceries, de fous rires et de moiteurs subites. Nonobstant les frisettes, elle garda intact le plus grand bien des filles qui n'en ont pas d'autre : au bureau et dans le quartier, elle passait pour sage. Mais, chaque vendredi, elle allait au cinéma.

Ainsi ses rêves devenaient plausibles : le cinéma imite la vie pour la déformer ; à ceux qui s'y laissent prendre, la vie semble par une sorte de choc en retour imiter le cinéma. Ne fût-ce qu'à cause de son front, Germaine pouvait prétendre à mieux qu'un homme qui avait plus du double de son âge, une famille, et qui ne cherchait qu'un trou bordé de femme. Dans la rue ou dans le métro, elle l'aurait traité de vieux dégoûtant et accueilli ses propositions les plus pécuniaires par un :

— Je suis une fille honnête, moi !

C'eût été le schéma de la Jeune Fille pauvre, du Vieux Suiveur et du Jeune Sauveur. Seulement, il y avait le bureau, donc la Dactylo et le Patron. Ainsi, M. Huchet eut droit au corps menu, et même au front angélique, par un phénomène d'analogie, sans se douter qu'il devait cette facile conquête à l'effet d'un jeu d'ombres sur l'imagination d'une jeune fille. D'abord, il s'était méfié de la voir désintéressée, détail qu'il attribua ensuite au fait que Germaine était restée sage, découverte qui l'étonna au point de le rendre vaniteux. Il ne s'y appesantit pas, étant moins porté sur la mythologie que sur la chosette.

Il y a, de l'écran à la réalité, toute l'épaisseur de la société. La tente du cheikh que Germaine avait choisie était meublée essentiellement d'un lit et d'un bidet. Si la jeune fille avait été un personnage de livre, elle se serait tuée ou révoltée ; dactylo à sept cents francs par mois, elle subit un suicide sans littérature, allant le vendredi au cinéma et le samedi à l'hôtel. Dans l'intervalle de vingt-quatre heures, elle faisait des indigestions de rêves : Huchet allait divorcer pour l'épouser, ou bien même, grâce à lui, elle allait rencontrer un autre homme descendu de l'écran. Mais les prodigalités de Huchet ne dépassaient jamais les chétifs bouquets de fleurs de saison.

Au moment où Vaillant débuta au bureau, Germaine commençait à se fatiguer du paysage de draps tachés, avec pour horizon les fleurs rouge et or des tentures. Elle demanda à sortir : un restaurant pas cher avec un film au bout l'aurait satisfaite. Huchet ferma l'oreille : il n'entendait rien lorsqu'il ne voulait pas entendre. Cela se passait au lit, la passion servant de prétexte de part et d'autre.

Le lendemain, au prix-fixe :

— Il te donnera des fleurs, lui dit une amie. C'est très beau, mais à ta place, il y a longtemps que j'aurais une auto.

Germaine protesta :

— Il n'est pas si riche que ça.

— Alors, pourquoi t'embarrasser de lui ?

— C'est-à-dire, il est assez riche, mais ce n'est pas pour des cadeaux que je...

— Tu ne vas pas me raconter que tu l'aimes ?

— Si, c'est-à-dire...

— Tu vois bien.

Germaine s'enferra, mais la logique de l'amie était imbattable. Le plus drôle, à en pleurer, c'est qu'elle l'aimait, ce gros Huchet, velu et avaricieux. Pourtant, le samedi suivant, elle voulut avoir son cadeau. Elle s'y prit avec une délicatesse dont Mme Huchet eût été bien incapable.

— J'ai vu un joli chapeau chez la modiste d'en-bas.

Huchet en fut suffoqué.

— Il n'en est pas question, jeta-t-il.

C'était la première fois que Germaine lui demandait quelque chose. Ce n'était pas la dernière. Six années de vie de bureau sont au cinéma un antidote puissant. Le mariage le moins ragoûtant apparaît comme le salut. Les femmes ne sont pas faites pour ce genre de travail, dit-on. Les hommes non plus. Bref, derrière le front toujours aussi pur de Germaine, Huchet finit par divorcer d'avec Valentino. Elle continua à le voir par peur de perdre sa place, mais avec une seule pensée : qu'est-ce que j'aurai encore le temps d'en tirer ?

Huchet commença par lui promettre une nouvelle augmentation à la fin de l'année.

— Je l'aurai de toute façon, dit-elle. Tricot l'a bien eue l'année dernière, sans coucher avec toi.

Ce furent moins les paroles que le ton qui alarma Huchet, un ton gouailleur, froid, un ton à rompre ou à faire un esclandre. Il temporisa, espérant s'être trompé, mais Germaine, qui n'avait jamais qu'une seule idée à la fois, y mettait de la suite. Huchet commença à regretter l'établissement du quartier Saint-Sulpice. Seulement, le pli était pris : il lui fallait Germaine.

La lutte entre la passion et l'avarice, allégorie digne d'un Prix de Rome, dura trois semaines. Le samedi suivant, Germaine manqua un rendez-vous. Le lendemain, pendant la dictée du courrier, Huchet lui glissa un collier de fausses perles. Elle le laissa sur la table où le directeur l'avait posé, sans daigner le remarquer. D'une humeur massacrante, Huchet se livra, ce soir-là, sous l'œil rond de sa femme, à un petit calcul. L'héritage de tante Caroline le rendait généreux. Il décida d'allouer au cadeau la somme de deux mille francs. Ayant pris pour base de comparaison les tarifs de Saint-Sulpice, il avait encore économisé à ce prix-là, en trois ans, près de six mille francs.

Anxionnaz tomba à pic. Huchet pouvait compter sur sa discrétion. Le renard roux ferait un cadeau princier. La présentation eut lieu le lendemain, dans son bureau. Germaine, qui commençait à fléchir, ne put réprimer un cri d'admiration.

— Tu viendras en prendre livraison, chuchota Huchet. Tu n'as pas oublié l'adresse ?

Ils rirent tous les deux à voix basse, de peur d'être surpris par Mme Lacassagne.

La main gauche posée à l'envers sur le dos, Roger avance le bras droit avec le grand plat où sont alignées les tranches de dinde.

Huchet se sert copieusement, faisant mine de ne pas voir la maîtresse de maison qui considère Germaine.

— Cela doit vous faire tout un voyage pour venir de chez vous ? demande Mme Androuet.

La dactylo rougit et murmure :

— Oui, madame.

Mme Androuet a l'air inquiète.

— J'habite derrière l'Hôtel-de-Ville, explique Germaine et, conciliante, elle ajoute : Mais ça fait encore assez loin.

— Ah bien ! fait la vieille dame, soulagée : pour elle, Paris finit à la place du Châtelet.

Le phare domestique de l'enseigne lumineuse venait de dix secondes en dix secondes se refléter dans les yeux de Ginette, surpassant en intensité les incendies les mieux rêvés. Ce bref rappel de la réalité : des yeux qui comprendraient, une bouche pour rire, rendait la confession impossible. Ginette, pensait Eric, Ginette : de penser son prénom lui donnait des droits sur elle, Ginette, Ginette, porté par la vague d'ombre, et toujours plus vite : Ginette, Ginette, le salon s'embrasait, l'exposant nu, le rouge de l'enseigne se plaquant sur le rouge de la honte, il baissait le regard, l'obscurité revenait, et avec elle, ce chant sourd et soutenu : Ginette, Ginette, de nouveau l'éblouissement, et trop près de lui, ces deux yeux témoins. Il s'entendait dire :

— Aujourd'hui, dans le métro, il y avait un vieux couple de banlieusards, le mari expliquait à la femme : "Tu sais, c'est fameux, dîner en musique, tu manges et tu écoutes en même temps."

Partir, être seul dans sa chambre, parler à Ginette.

— Je suis entré acheter des cigarettes, dit-il, la patronne du bistro était en train de raconter : "J'ai du diabète, je n'ai droit qu'aux noix et aux noisettes. Avec du pain et du beurre, j'adore ça."

Et ce salon qui ne partait pas à la dérive, qui s'obstinait à ne pas prendre feu.

— Qu'est-ce que tu as, Eric ?

Il y avait de l'impatience dans la voix de Ginette. Elle s'est donc aperçue ? Le désastre.

— Qu'est-ce que j'ai ?

Heureux les sourds-muets, les sourds-aveugles. Etre à ce soir, à demain matin. Mon destin, mon cher petit destin, qui m'avez toujours protégé, faites donc quelque chose, envoyez-moi le bon mensonge, que Ginette ne se doute jamais de rien, surtout qu'elle ne se doute de rien.

— Je n'ai rien, dit Eric sur l'air de "Tu ne vois donc pas que je meurs".

L'enseigne lumineuse vint éclairer son agonie. Il est drôle, Eric, pensa Ginette. Sa voix la troublait, agréablement, la chatouillait, elle éprouva le besoin de le pousser un peu plus loin, par de menus gestes de chatte, mais pas trop loin. Elle ne savait pas ce qui arrivait à Eric, elle n'en savait rien, sur son honneur.

— Ecoute, Ginette, se décida-t-il.

Elle eut peur, c'était trop rapide, son phare vint à la rescousse.

Eric priait :

— Cher petit destin, vous pouvez tout.

Il s'humiliait :

— Faites que je n'aie rien dit.

Il se taisait. Ginette n'avait plus peur, elle voulait savoir, elle avait des fourmis dans le dos, vite, un petit geste, les griffes rentrées :

— Je t'écoute.

— Je voulais te demander, Ginette.

Elle avait peur de nouveau. Et lui :

— As-tu une cigarette pour moi, j'ai fini mon paquet, c'est idiot, je croyais en avoir encore, j'ai terriblement envie de fumer, terriblement.

— Bien sûr.

Elle était déçue : il y avait autre chose, elle ne savait quoi. La nuit était sur le monde, opaque, épaisse ; dans la nuit, il n'y avait que l'immense brasier de l'allumette.

— Il se fait tard, dit Ginette d'une voix affairée, sans le regarder ; et sans la regarder, il avala l'air et dit :

— Il se fait tard.

Elle allait partir, enfin, il pourrait rentrer, s'enfermer, parler à Ginette dans sa tête. Elle allait partir, une fois de plus, le désastre.

— Ecoute, Ginette.

Elle attendit. Il avait rompu le vœu, il s'était aliéné le destin, mais ce n'est pas dur de renoncer à fumer, il faut promettre davantage.

— Oui.

— Viens faire une promenade. On marchera un peu.

Eric était lâche.

— Je dîne ici ce soir.

— Un quart d'heure seulement, je te raccompagnerai.

Paris était mauve et vieux rose du reflet des enseignes lumineuses. Des foules noires bouchaient les entrées du métro.

— Je n'y comprends rien, c'est un pastis du diable, dit un gros homme épanoui.

Un autre criait agressivement :

— Oui, monsieur, c'est comme j'ai l'honneur de vous le dire.

Et deux femmes :

— Votre fille, elle a quel âge ?

— Quatorze ans.

— Quatorze ? Elle est grande !

— Ça ne me rajeunit pas.

Un silence, puis la deuxième :

— C'est pas long, la vie.

Pour traverser la place du Châtelet, Ginette prit Eric sous le bras.

Si elle ne retire pas sa main sur le trottoir, je dis tout. La traversée dura des années.

Les grands magasins se vidaient des foules, des couples se retrouvaient, les autobus démarraient dans le tintamarre du changement de vitesse.

— C'est un cru. C'est pas une marque, c'est un cru, glapit une voix triomphante.

— Il a fallu que j'insiste pour qu'il se rase, se plaignit une femme.

— Un failli non réhabilité, non concordataire, constata un vieillard.

Deux hommes :

— Et les sentiments, qu'est-ce que vous en faites ?

— Les sentiments, monsieur, je m'assieds dessus.

Au bord du trottoir, un homme chapeauté, à canne et serviette, racontait à un ami :

— Hier, un mendiant s'approche de moi : "Vous êtes un intellectuel ? — Oui. — Ça se voit. Donnez-moi quarante sous." Bien entendu je n'ai rien donné, mais c'était quand même flatteur. Ça se voit, qu'il a dit.

Je t'aime, pensa Eric. Ginette n'avait pas retiré sa main, mais il avait gardé le silence.

A présent, ils suivaient les quais. Les ponts, hérissés d'autobus, se profilaient sur le ciel rouge. Au cinquième arbre, je lui dirai. La foule était demeurée derrière. C'est-à-dire encore trois arbres. Les marchands rentraient des cages d'oiseaux piaillants, des oiseaux gris au jabot rose, des oiseaux vert et jaune, des oiseaux bleus à reflets d'or, des oiseaux dont ils étaient seuls à connaître les noms. L'arbre s'avança, se dressa, immense, disparut. Deux ménagères bavardaient. L'une observa :

— On a ses petites habitudes.

Son amie hocha la tête.

— C'est ma tante qui le disait lorsque pour prendre son lavement quotidien elle se tournait sur le côté gauche.

Les marchands rentraient des bocaux remplis de poissons, des poissons vessies, des poissons en dentelles, des poissons barbus, moustachus, rayés, tigrés, lunaires, qui portaient des noms chinois, malgaches, iroquois. Un arbre surgit, s'épanouit, se dissipa. Je compterai jusqu'à cent et je lui dirai. Les marchands rentraient des pots débordant de fleurs, des fleurs à plumes et des fleurs à écailles, des fleurs à clochettes, à pendeloques, à duvet, à queues de comète dont les vrais noms étaient tous latins. Soixante et un, soixante-deux. Ils marchaient vite, toujours plus vite.

D'une épicerie, deux phrases s'échappèrent :

— Avez-vous des cheveux d'ange, madame ?

— J'en manque, mais dans le même ordre d'idées, j'ai des petites étoiles.

Une enseigne disait :

— Chaussures de luxe et de gêne.

Une enseigne disait :

— Nos deuils sont impeccables.

Des passants parlaient sans arrêt, on n'entendait que des bribes :

— Le fin mot de l'histoire.

— A cheval sur les principes.

— Une autre paire de manches.

— Un jeune homme de grande espérance.

Cent vingt, cent vingt et un. Il continuait à compter stupidement.

— Cette petite dame dont je cause, dit une voix, on est inquiet.

Une autre :

— Six heures, monsieur, six heures, montre en main.

Et une troisième, triomphante :

— Il n'y a pas beaucoup de coiffeurs pour finir une coupe de cheveux au rasoir à la volée.

— Je dois rentrer, dit Ginette.

En arrivant devant l'entrée, Eric parla pour la première fois.

— Je t'accompagne jusqu'en haut.

Puis, devant la porte de chêne :

— J'entre un moment. J'ai quelque chose à te dire.

Le salon était toujours noir.

— Une minute seulement, dit Ginette.

Eric répéta docilement :

— Une minute.

Ils se rassirent à la même place, sur le divan.

Le phare s'alluma, s'éteignit. Ginette se taisait, menaçante. Je vais partir, pensa Eric. Déjà il était chez lui disant :

— Je t'aime.

Il songea à sa table avec tous les bouts de papier immobiles, inamovibles. Les années passaient, le phare ne se rallumait pas. Cher petit destin, faites une petite fin du monde, et déjà il avait commencé à parler.

— Ginette, tout d'une traite, sans inflexions, Ginette, je t'aime, si doucement qu'elle ne pouvait pas l'entendre. Désespéré, il cria : Je t'aime, Ginette.

Le tonnerre roulait encore que l'éclair de l'enseigne embrasa Ginette des pieds à la tête.

Il avait parlé d'une voix rauque, tellement indistincte que Ginette faillit lui demander de répéter. C'était donc ça. Mais elle l'avait toujours su. "Je t'aime." Elle eut envie de pleurer et sourit. C'était le jardin, la Grèce qui remontaient de son enfance. Elle se passa les mains dans les cheveux. "Je t'aime." Son tour était venu. Ils iraient dans une guinguette, un bal musette, au bord de l'eau. Quelque part au fond d'elle-même, si loin qu'elle ne s'en aperçut pas, elle sentit qu'elle était bonne et généreuse, et son bonheur fut parfait. Bienveillante et obscure, elle donna rendez-vous à Eric.

Eric vécut la journée la plus douce, la plus folle de sa vie. Il aimait Ginette et il le lui avait dit.

Il s'émouvait :

— Petite Ginette, tellement petite, tellement faible, si vite essoufflée, les lèvres bombées entrouvertes sur des dents glacées.

Il s'apitoyait :

— Ginette, petite à prendre dans les bras, à mettre dans la poche du veston, au milieu d'un peu de coton, et elle se met sur la pointe des pieds, la tête arrive juste dans le creux de la main, et elle dort, roulée, au soleil, immobile, des heures.

Il s'attendrissait sur lui-même :

— Tout seul, sans genoux où mettre la tête, sans joue contre laquelle presser sa joue, sans main où enfouir ses yeux, sans doigts où passer les mèches de ses cheveux.

Ces doigts, cette main, cette joue existaient, prêts à s'offrir, il en pleuvait, des doigts de femme, il suffirait d'ouvrir les yeux. Rien n'était aussi poignant que de faire durer l'attente du bonheur.

Jusque-là, Paris avait été pour Eric les rues où il avait vécu enfant, le trottoir qui conduisait à l'entrée de l'école, le continent, chaque année plus vaste, du parc Montsouris, le marché de l'avenue d'Orléans, le mont-de-piété de la rue des Francs-Bourgeois, une case du Père-Lachaise.

Un nouveau Paris se composait : cent mètres de grilles du parc Monceau, à deux heures du matin, prirent une importance insoupçonnée, un coin de la place du Châtelet, à six heures du soir, un bout du quai de Gesvres, arrachés de la masse anonyme de la capitale, à une heure précise, sous un éclairage immuable, s'étaient figés en lui, nets et détaillés comme des instantanés. Quoiqu'il fît plus tard, il ne pourrait jamais les oublier, ni les revoir autrement qu'avec tous ces détails de couleurs et d'odeurs, jamais il ne pourrait y songer sans ressentir une vague de chaleur au creux de l'estomac et, plus tard encore, la plus atroce des envies, l'envie de sa propre jeunesse.

Pendant cette journée, il ne rêva plus. Le temps s'était arrêté. Dans un taxi, sans lâcher la bouche de sa compagne, un garçon ne quittait pas des yeux le compteur.

Sur le trottoir, un étudiant chuchotait à son ami :

— Il n'y a pas à dire, ça vous chavire un cœur de femme, un tango chanté.

Accoudés au parapet, deux clochards contemplaient le fleuve. L'un observait :

— La cendre est plus lourde que l'eau mais le tabac surnage.

Et l'autre :

— On en apprend, des choses, à jeter des mégots dans la Seine.

Il suffisait de fermer les yeux pour revoir Ginette immobile, dans le rougeoiement de l'enseigne ; Eric la contemplait sans oser l'animer.

— Je t'aime.

Il alla la trouver avant l'heure. Mme Androuet n'était pas chez elle. Il attendit dans le salon. Si elle ne vient pas à cinq heures et quart, je m'en vais, pensa-t-il subitement. A cinq heures vingt, il se donna dix minutes de sursis. Puis il évita de regarder la montre, sinon du coin de l'œil. Ginette avait dû oublier le rendez-vous. Elle n'avait rien à lui dire. Soudain, il songea qu'à cette place même, il avait en parlant à basse mais intelligible voix prononcé son arrêt de mort. Il se leva, cette fois-ci décidé à partir pour de bon. Après avoir esquissé trois pas, il pensa : s'il y a un nombre impair de pas jusqu'à la sortie, j'attendrai encore cinq minutes. Il compta huit pas, bien qu'il ait essayé de tricher en les raccourcissant. Je pars. Quelques minutes plus tard, Gi-nette le trouva debout, figé.

— Bonjour, Ginette, dit-il en parlant le premier, vite et d'un air détaché.

Il eut l'impression qu'elle ne l'écoutait pas et se tut, puis reprit :

— Ta grand-mère n'était pas là, c'est la bonne qui m'a fait entrer. Je n'avais jamais aperçu le dessin de ce vase. Je ne comprends pas très bien ce que ça représente.

Ginette se taisait. Il se tut à nouveau. Elle fit un pas vers lui. Il aurait donné dix ans de sa vie pour trouver un autre sujet de conversation.

— Ginette, essaya-t-il de dire, mais sa bouche était devenue sèche. Il avala sa salive avec un bruit qui lui sembla éclater dans le silence et répéta :

— Ginette.

Elle dit :

— Eric.

Ils se tenaient tout près, aucun ne pouvait entendre les battements de cœur de l'autre, tellement le sien propre battait fort. Défaillant, Eric eut la force de la regarder, pas dans les yeux, plus bas, à la hauteur de la bouche. Il la vit hocher la tête, lentement, une fois, de haut en bas, et les coins de ses lèvres serrées se détendre lentement comme l'herbe qui pousse. Je n'oserai jamais, pensa-t-il, plutôt mourir. Il se balança, en avant, en arrière, en avant.

Les années s'écoulaient. Lentes comme un continent qui se dégage de l'océan, les lèvres de Ginette se desserraient. Plutôt mourir. Il se balançait toujours, inconscient. Aucun des deux n'aurait su dire si elle s'était penchée en avant, ou si lui avait perdu l'équilibre.

Ils se retrouvèrent dans la même pièce, dans le même siècle.

— Comme ton cœur bat fort, dit Eric, et il éprouva une rage de défendre Ginette, contre le monde entier et sur-le-champ.

Ils étaient assis aux deux coins opposés du divan. Le plus dur était de parler, mais parler était indispensable. Ils accueillirent le retour de Mme Androuet avec des transports de joie qui devaient, par la suite, causer à la dame quelques craintes pour l'avenir, du plaisir complice, une pointe d'envie et beaucoup de nostalgie.

— Ginette, dit-elle en allumant le plafonnier, viens, je dois te parler.

Eric s'était levé, la jeune fille se leva à son tour.

— Oui, Tine, dit-elle d'une voix absente.

— Vous nous excuserez, jeta la vieille dame.

Maladroitement, il dit au revoir à Ginette, et tous les deux ils retirèrent leur main comme s'ils s'étaient brûlés.

— Au revoir, dit-il, comme il aurait dit adieu à tout jamais.

— Au revoir, murmura Ginette.

Leurs voix ne s'étaient pas encore réajustées à la vie quotidienne. La maîtresse de maison les regarda. Ils affectèrent l'indifférence de deux étrangers.

— A bientôt, Ginette, dit Eric, appuyant sur le "bientôt", et il se maudit de rougir.

— Attendez, dit Mme Androuet. Si vous voulez patienter un instant, vous pourrez la revoir.

Eric en conçut une reconnaissance éternelle.

Roger continue à servir. On cause.

Mme Androuet rappelle :

— Savez-vous que les cacahouètes poussent sous terre ?

— Vous avez entendu parler du riz à la créole, dit Mme Lacassagne, mais savez-vous le préparer ?

Mme Huchet réfléchit avant de dire :

— Je ne sais pas préparer le riz à la créole, mais je sais que l'ananas à la créole est le régal des Guadeloupéens.

Un silence. Huchet finit par mettre les dames au courant :

— Cicéron signifie en latin pois chiche.

— Il y a tant de choses, constate Boulet, que la science ne peut pas expliquer.

Mme Androuet emmena Ginette dans sa chambre, se débarrassa de son manteau, s'assit devant la coiffeuse pour enlever son chapeau. Les doigts joints, elle s'arrangea les cheveux en les tapotant avec des mouvements légers et rapides des paumes, de bas en haut. Elle les avait longs, remontés : la même coiffure depuis la mort de son mari. Dans la glace, Mme Androuet observait Ginette. Penchée sur l'accoudoir d'un fauteuil, la jeune fille semblait rêver.

— Ginette, dit Mme Androuet en continuant de toquer ses cheveux et en s'efforçant de contrôler ses mouvements et sa voix. Est-ce que j'ai l'air d'une folle ?

Sur le fauteuil, Ginette ne changea pas de pose ; le regard perdu devant elle, elle répondit d'une voix absente :

— Voyons, Tine !`

Mme Androuet prit une lime et examina ses ongles, mais ainsi elle ne pouvait pas voir Ginette. Elle remit la lime sur la coiffeuse ; ses doigts refusaient de demeurer en repos : elle déplaça des flacons.

— A quoi songes-tu, Ginette ?

La jeune fille ne répondit pas, sans doute n'avait-elle pas entendu.

— Ginette, toi qui me vois tous les jours, as-tu jamais pensé que je pouvais être folle ?

En ce moment, Ginette ne pouvait penser à rien. Elle avait l'impression de faire la planche et se laissait porter, la tête vide, les oreilles bourdonnantes. Elle fit un effort, dit : "Non, bien sûr", s'attachant à ne pas rompre d'un mouvement brusque cette sensation de ballottement.

Dans le miroir, sa grand-mère la vit sourire, comme si elle était seule et reconnaissait un souvenir, d'un sourire tellement charnel et abandonné que son cœur se pinça douloureusement. Pendant un instant, elle oublia ses soucis.

— Ma Ginette, dit-elle de la même voix qu'elle prenait pour lui parler lorsqu'elle était toute petite.

La jeune fille tourna la tête et leurs yeux se rencontrèrent dans le miroir. Ceux de Ginette étaient tristes et profonds, s'éclairant par à-coups de bouffées d'une joie tellement égoïste et impudente que Mme Androuet, gênée, baissa les siens. Elle les releva aussitôt, l'une et l'autre se regardèrent en silence, puis Ginette fit un petit mouvement d'épaules, fautif et résigné, comme pour dire : que veux-tu ? Ça devait bien m'arriver, à moi aussi. Tu sais, tu comprends : c'est Eric. N'est-ce pas que ça devait m'arriver ?

Sa grand-mère répondit par un sourire rassurant, et Ginette, se sentant admise dans une antique conjuration, fut soulevée de pitié pour la vieille femme dont les doigts couraient fébrilement sur la coiffeuse, comparse désormais et confidente. Elle se secoua, en effet, agita la tête, s'étira et dit :

— Qu'est-ce que tu me demandais ?

Ramenée à elle-même, Mme Androuet eut tout juste le temps de dire :

— Est-ce que je suis folle ?

— Bien sûr.

Ginette éclata de rire.

— Bien sûr que tu es folle, ma chère vieille folle, et je suis aussi folle que toi.

— Ginette.

— Oui, Tine.

— Sais-tu qu'Irma me croit folle ?

— Oh, maman, tu sais...

Elle fit un geste de la main pour indiquer que cela n'avait aucune importance, rien n'avait d'importance, sauf, au fond d'elle-même, le balancement qui se poursuivait toujours.

— C'est sérieux, Ginette, très sérieux. Tu te rappelles, je t'ai dit l'autre jour que j'avais des soucis.

— Chère Tine, chère vieille Tine, elle se fait du mauvais sang à cause de maman.

Tout d'un coup, Mme Androuet se retourna. Ginette vit son visage ravagé, gris sous le rouge du fard, et des doigts turbulents et aveugles qui lui firent peur.

—Qu'est-ce que tu as ? cria-t-elle avec rancune.

La vieille femme s'efforça de maîtriser les mouvements de ses mains, les entrelaça, chercha où s'agripper.

— Irma veut me faire passer pour ça, dit-elle, et elle évita le mot, honteuse.

Peut-être n'était-ce que de l'indignation, elle avait été folle d'y croire, elle n'était pas folle, c'est Irma seule qui le disait. Elle continua de parler, raconta tout ce qu'elle savait, le récit d'Amicie, le Code, la visite de Huchet, les plans d'Irma pour l'agrandissement du bureau. Elle ne passa sous silence que la visite de ce terrible petit bonhomme, Pierre Baumès, officier de Napoléon, interdit en 1808.

Au début, Ginette essaya de sourire.

— Voyons, dit-elle, mais ce n'est pas possible, je connais maman, des choses pareilles n'arrivent pas dans la vie, tu as dû te tromper, Amicie est une vieille folle.

A ce mot, elle rougit. Elle ne pouvait pas détourner son regard des doigts de Tine, à présent entrechoqués, qui se maintenaient l'un contre l'autre, qui bougeaient quand même encore, s'enfonçaient dans les mains où ils faisaient de petites taches blanches. Mme Androuet parlait toujours, depuis des semaines elle devait en parler, à haute voix, pour s'entendre, et elle observait Ginette, de biais, lui donnant des coups d'œil rapides et prudents, cherchant son regard et l'évitant. Non, ce n'était pas son imagination, tout s'enchaînait trop bien, Irma ne l'avait jamais aimée, même enfant, elle refusait des jouets, elle espionnait ses parents, jamais elle ne les avait embrassés de bon cœur, ce n'était pas la faute de ses parents, Irma n'avait jamais aimé personne, elle était froide, froide et dure.

— Qu'est-ce que j'ai fait au bon Dieu pour avoir un enfant pareil ?

Elle laissa errer ses pensées : elle avait trop aimé son mari et Dieu la punissait de tout le poids de sa jalousie. Devant cette avalanche de passion, Ginette répéta d'une voix blanche :

— Non, non.

Ginette ne pouvait plus supporter la vue des doigts de Tine, leurs mouvements saccadés, ils étaient comme les phalènes de son enfance, se cognant contre les ampoules électriques, se brûlant, se cognant encore. N'y tenant plus, elle se leva, posa la main sur celles de sa grand-mère, les pressa de toutes ses forces.

— Tine, supplia-t-elle, je vais parler à maman. Je suis sûre et certaine que c'est un malentendu.

— Je te défends de lui en parler ! hurla Mme Androuet. Elle saura que je suis au courant, et alors...

— Mais non, Tine, tu exagères, on t'a raconté des histoires, tu es nerveuse.

Ginette se reprocha aussitôt ce mot.

— Je sais que tout va s'arranger, ajouta-t-elle.

A présent, c'était elle l'aînée, consolant sa grand-mère, lui disant des mots sans suite pour l'empêcher de parler.

— Tu verras, Tine, je parlerai à maman ce soir, tu as raison, elle a des défauts, mais elle est gentille quand même, elle travaille beaucoup, elle n'a pas le temps de penser aux choses de la maison, je lui parlerai.

Elle sentit les doigts de Mme Androuet se crisper sous les siens.

— Je ne lui dirai rien, ajouta-t-elle, je la questionnerai, je suis tellement sûre qu'elle n'est au courant de rien, elle ne s'en apercevra même pas, elle ne saura jamais ce que tu penses, je te le promets, tu m'entends, je te le promets, je ne suis plus une petite fille, moi.

Ce soir-là, en rentrant à la maison, Mme Lacassagne aperçut deux couverts dans la salle à manger.

— Mlle Ginette a téléphoné qu'elle dînait avec vous, madame, dit la bonne. J'ai ajouté un entremets.

— C'est bien, dit Irma qui évitait de montrer qu'elle en voulait à sa fille de sortir trop souvent et qu'elle trouvait superflu le changement de menu. Et, pensant qu'elle n'attendrait pas Ginette :

— Vous servirez à huit heures juste.

Mais Ginette rentra à l'heure.

La table était trop grande pour deux personnes, avec sa nappe de cette couleur terne qu'a le linge lessivé à l'eau de Javel et sans bleu, avec son argenterie mate comme si le produit qui avait servi à la récurer n'avait pas été bien frotté. Le potage était tiède comme d'habitude.

Ginette le mangea discrètement. Elle observait sa mère pour la première fois depuis son enfance.

Mme Lacassagne portait la robe en lainage noir qu'elle gardait au bureau ; avant de se mettre à table, elle avait seulement enlevé ses lunettes. Depuis quelque temps, elle était devenue moins myope : la vieillesse, pensait-elle.

C'est maman, pensa Ginette, essayant de s'attendrir. Elle chercha dans sa mémoire. Oui, la même robe noire, la collerette de tulle, les gestes précis, un peu appuyés, qu'elle gardait pour porter la cuiller à la bouche, cette façon de rompre son pain en évitant de faire des miettes. Comme tous les enfants, Ginette jugeait sa mère, impitoyablement, souffrant de ce qu'elle considérait comme ses défauts. Elle essaya de l'évaluer en étrangère, sans y parvenir.

— Ça va bien au bureau ? dit-elle enfin.

Cette question était tellement singulière que Mme Lacassagne regarda sa fille. La nouvelle robe de Ginette, en satin rouge, avec des empiècements, lui déplaisait, comme toujours. Les yeux de la petite brillaient, la mère lui trouva une expression nouvelle qu'elle chercha à comprendre sans y réussir. Elle savait déceler sur les visages les traces de cupidité, d'intérêt, de ruse, et classer les individus en madrés et naïfs, intelligents et sots. Le visage de sa fille demeurait indéchiffrable, surtout ce jour-là : il y avait une animation intérieure, difficilement maîtrisée, des ombres qui noyaient les yeux, des commencements de sourires, tout un jeu de bonheur, d'interrogation et de désespoir qui échappait à Mme Lacassagne. Elle ressentit une sourde irritation à laquelle elle chercha une explication. Elle se farde trop, décida-t-elle, et dit :

— Mais oui, tout va bien. Pourquoi ?

— Tu es contente ? demanda Ginette, fière de sa malice.

— Comment ? Comment ça ?

— Je veux dire contente de ton travail.

Elle s'efforçait de parler avec désinvolture. J'avais raison, songea-t-elle, Tine a imaginé toute cette histoire.

— Ça va aussi bien que ça peut aller en temps de crise, dit Mme Lacassagne.

Ginette fut étonnée d'entendre dans la bouche de sa mère une expression fréquemment employée chez Claude : c'était donc vrai, les théories ?

— Evidemment, dit-elle, en temps de crise, on ne peut pas projeter de nouvelles affaires.

Maintenant elle comprenait qu'au fond d'elle-même, elle avait cru aux accusations de Tine et elle était reconnaissante à sa mère de lui démontrer qu'elle s'était trompée. Mme Lacassagne ne saurait jamais de quoi elle était accusée.

La voix de celle-ci la fit tressaillir.

— Ginette.

Elle leva la tête. L'autre la contemplait droit dans les yeux de son regard froid, attentif et qui détaillait.

Petite sotte, pensa Mme Lacassagne.

— Tu as vu Tine aujourd'hui ? dit-elle d'un ton affirmatif.

— Alors, c'est vrai ? lâcha Ginette.

Elle s'en voulut à mort, mais il était trop tard.

— Qu'est-ce qui est vrai ?

— Non, rien, maman.

Elle détournait le regard, espérait s'être trompée à nouveau. C'est un terrible malentendu, se répéta-t-elle, les paroles mêmes qu'elle avait dites à Tine, je divague, je sais, on n'est pas obligé de s'aimer – je ne l'aime pas, pensa-t-elle en sous-ton, avec un effort de lucidité – mais c'est tout, on ne se tue pas, ces choses n'arrivent que dans les romans, mais pas à moi, pas à moi.

La bonne entra, enleva les assiettes, servit le rôti.

C'est fini, réfléchit Ginette, on n'en parlera plus jamais.

Elle me juge, elle me méprise, songea Mme Lacassagne. Elle me prend pour un monstre. Elle me croit intéressée.

Jamais encore elle n'avait voulu se justifier : les gens n'en valaient pas la peine. Ginette est avec maman contre moi. Cette considération l'emporta.

— Oui, c'est vrai, dit-elle.

A entendre cette voix qu'elle n'avait jamais connue tremblante, Ginette lâcha la fourchette qui retomba dans l'assiette avec un bruit qui lui sembla de tonnerre. Pâle comme le jour où on lui avait dit que son père était mort, elle hocha la tête, de droite à gauche. Elle ne pouvait même pas dire non.

Mme Lacassagne avala un morceau, se força à en piquer un autre au bout de sa fourchette, dit :

— Tu ne cherches même pas à savoir la vérité. Tu préfères me condamner, croire que je suis une criminelle, un monstre, tu ne me vois qu'à travers les yeux de ta grand-mère.

— Je t'en supplie, maman.

— Voilà que tu as peur maintenant. Ce n'est pas moi qui ai commencé cette conversation, mais si tu crois t'en tirer à si bon compte, tu te trompes. Et d'abord, tu ne m'as jamais aimée, tu m'entends, jamais.

Tous les défauts de sa fille lui revenaient à la mémoire : elle sortait trop souvent, elle se fardait trop, il lui fallait des entremets.

Maman, dis-moi que ce n'est pas vrai, pensa Ginette. Tu te moques de moi, nous en rirons bien toutes les deux, toutes les trois, avec Tine. Elle revit les doigts de sa grand-mère, parcourus de tremblements et qui imprimaient dans la chair de la main des petites taches blanches. Je suis hier, décidat-elle, rien n'est arrivé, je vais me réveiller dans un moment.

— Mademoiselle n'a pas faim ? dit la voix de la bonne, et, profitant du répit, Ginette osa observer à la dérobée sa mère. Mais celle-ci la guettait : Ginette n'avait pas rêvé.

— Mademoiselle mangera bien de l'entremets, dit la bonne et Mme Lacassagne put à peine contenir son irritation.

Pourtant, ce fut elle qui mangea, lentement, en tenant sa cuiller d'une main ferme.

Comment a-t-elle le cœur de manger ? s'interrogea Ginette.

— Ça t'étonne que je mange ? demanda Mme Lacassagne, et Ginette se sentit transparente. Eh bien, si je devais me faire du mauvais sang parce qu'une petite imbécile vient me dire des sottises !

Elle exagérait : elle se serait bien passée du dessert, mais sa fille avait mérité une leçon : peut-être, après tout, sa conscience n'était-elle pas si calme qu'elle prétendait, et sa colère provoquée moins par l'intervention de Ginette que par certaines pensées qu'elle s'interdisait.

Lorsqu'elles se furent levées de table, Mme Lacassagne surprit le regard que Ginette n'avait pu s'empêcher de se lancer dans la glace du salon. Elle ressemblait à sa grand-mère, avec ses yeux humides, sa lâcheté devant les paroles et les situations nettes, son habitude de la vie facile, comme si la vie l'était jamais. Maintenant, songea Irma, elle se mettra à pleurer, et c'est moi qui aurai tort.

A ce moment seulement, Ginette comprit que sa mère avait décidé de faire passer Tine pour folle, de la faire enfermer dans un asile, supposa-t-elle, de mettre au courant des avoués, des juges, tout le monde. Elle songea à Claude, à Eric. Je partirai, décida-t-elle. Soulevée de honte et de dégoût, elle dit, en évitant les yeux de sa mère :

— Tu ne le feras pas. Je t'empêcherai de le faire.

Je raconterai tout. Il y a des médecins, tu ne pourras pas, je ne te reverrai jamais, je te...

Elle balbutiait.

— Eh bien ? dit Mme Lacassagne.

Ginette courut dans le vestibule, ramassa son manteau, son chapeau, s'arrêta un instant devant la glace pour le mettre d'aplomb.

J'irai chez Tine. Mais cette pensée lui fut désagréable. Alors, chez Eric. Elle l'avait oublié, et à son nom, elle reprit courage. Elle essaya de se rappeler son adresse.

— Tu es jolie, Ginette, mais qui ne l'est pas à ton âge ?

Elle eut du mal à reconnaître la voix de sa mère, tellement basse et suffoquée. Elle se retourna, honteuse d'avoir été surprise devant un miroir. Irma prit son geste pour un mouvement d'impatience.

— Même moi, dit-elle, même moi que tu trouves laide, si, je le sais, tu crois savoir dissimuler, mais on voit tout au travers, même moi, j'ai été jolie à ton âge. Ne souris pas, tant que la peau est douce et les yeux brillants, il n'est pas difficile d'être jolie, bah ! Mais les femmes vivent vieilles dans notre famille. Mademoiselle croit que pour elle seule, il sera fait une exception : elle se pomponne, elle se bichonne, elle assortit ses ceintures à la couleur de ses cheveux, continua-t-elle d'une voix plus forte et saccadée. Tu ferais mieux de te préparer à cinquante années de laideur ; tu n'en as que le temps. Tu ne me crois pas, cria-t-elle, ne dis pas non, je le vois dans tes yeux, regarde donc !

Violemment elle fit pivoter Ginette sur les talons, la poussa contre la glace, la maintint ainsi, de force, sa tête contre la sienne.

— Regarde, regarde bien, ne raconte pas que tu n'aimes pas te regarder dans un miroir. Tu vois, ma pauvre Ginette, ces petits plis au coin des yeux, ils se rejoindront un jour, tu découvriras ta première patte d'oie. Ces traits au coin de la bouche qui te vont si bien quand tu ris, bientôt ils seront rides. Ne ris jamais, Ginette, si tu veux rester belle six mois de plus. Ta peau est bien lisse, elle deviendra flasque, se tachera, les pores s'élargiront, tu auras des points noirs, des boutons, des poils, là, sur les grains de beauté. Ton cou se creusera. Ces veines, si bleues, si touchantes, elles se gonfleront, noirciront : on est arthritique dans notre famille. Regarde, regarde bien, tu crois peut-être qu'un visage ne change pas. Tout change, les oreilles s'allongent, observe celles de ta grand-mère, elle les avait petites. Le nez s'épaissit, rougit. Et je ne parle pas de ton visage, malheureuse. Tu es si fière, hein ! ta mère n'est rien, eh bien ! vois donc, vois comme tu me ressembles.

Elle criait, il y avait du triomphe dans sa voix.

— Vois la forme du menton, non, ne te sauve pas ! tu te crois courageuse, n'est-ce pas, petite lâche, tu ne pouvais jamais t'endormir les portes fermées, dans l'obscurité, vois nos pommettes, l'espace entre les yeux, entre le nez et la bouche. Oh, oui, tu me ressembleras. Il suffira de quelques poils noirs, d'un peu de graisse, d'un peu de larmes, ne pleure donc pas, idiote. Déjà, tu me ressembles.

Ginette s'enfuit. Mme Lacassagne eut la force d'éteindre les lumières, d'aller dans sa chambre, de se déshabiller, de plier ses vêtements. Alors qu'elle enlevait sa gaine, elle l'envoya brusquement à l'autre bout de la pièce, se laissa tomber sur le lit et demeura ainsi, dans sa chemise sans dentelles de femme seule, raide, immobile, les yeux secs, les mains comprimant le ventre.

Ginette s'était réfugiée chez sa grand-mère. Elle ne pouvait pas parler, Mme Androuet interpréta l'émotion de la petite à sa manière.

— Tu vois que j'avais raison, dit-elle.

— Je la hais, et Ginette sanglota.

La vieille femme lui passait la main dans les cheveux.

— Nous sommes ensemble, c'est l'essentiel, dit-elle, nous saurons nous défendre.

— Oh, oui, Tine. Elle est méchante, méchante.

— Je te l'avais dit.

— Non, tu ne peux pas savoir.

— Qu'est-ce qu'elle a appris ? s'étonna Mme Androuet.

Elle voulait se renseigner. Mais Ginette se taisait. Involontairement, elle observa les oreilles de sa grand-mère, aux lobes gras et allongés.

— Dis, elles ont toujours été comme ça, tes oreilles ?

Quelle enfant, pensa Mme Androuet.

— Bien sûr, dit-elle, seulement je ne porte plus de boucles.

— Est-ce que je ressemble à maman ?

— Ah, ça, pas du tout. Pourquoi ?

D'une voix malheureuse :

— Elle l'a dit.

Les paroles de sa mère lui revenaient à l'esprit, elle les savait par cœur.

— Ta pauvre mère, dit Mme Androuet avec un sourire songeur.

Ç'avait donc été ça, la vengeance d'Irma.

— Tu es jolie, Ginette, dit-elle en employant les mêmes mots que sa fille.

— C'est vrai, Tine ?

— Mais regarde-toi, grosse bête. Dans un mois, j'aurai soixante ans. Est-ce que je suis laide ?

— Tu es belle, Tine.

— J'ai été belle, et tu me ressembleras ; Irma, jamais. Et puis il y a eu autre chose, tu es encore trop jeune pour comprendre. Elle est si aigrie, la pauvre.

— Pourquoi ?

— Cette opération qui a fait qu'elle n'est plus femme.

— Mais, Tine, toi non plus, tu n'as pas eu d'autres enfants.

— Il ne s'agit pas d'enfants, mon chou.

Ginette réfléchit brièvement.

— Comment était papa ?

— Charmant, doux, avec une belle barbe blonde.

— Oui, je me rappelle.

— Nous nous entendions très bien.

— Il n'aimait pas maman ? devina Ginette, cruellement.

— Tu sais qu'il était employé au bureau de ton grand-père. Un très bon employé. Grand-père avait confiance en lui. Et lorsque grand-père avait décidé quelque chose, personne ne pouvait l'en faire démordre. Moi seule, quelquefois, ajouta-t-elle coquettement.

Pauvre papa, pensa Ginette. Il devait être malheureux.

Mme Androuet songea à son mariage à elle, un mariage d'amour.

Elles se couchèrent ensemble dans le grand lit, bien au chaud. Ginette se sentait légère, vidée. Les draps sentaient bon la lavande, le matelas était plus mou qu'à la maison, et l'édredon tenait trop chaud, mais c'était mieux ainsi, plus confortable et plus sûr. Elle se dit que le lendemain, elle reverrait Eric, et cette pensée lui fut également délassante. Mme Androuet ralluma la lampe de chevet pour regarder Ginette dormir. La petite avait les lèvres entrouvertes, les paupières lisses, à peine jointes. La respiration faisait trembloter un duvet qui s'était accroché à la lèvre, juste sous le nez. Mme Androuet l'enleva, remonta la couverture, éteignit, revit, malgré elle, Victorien, jeune, Eric, à présent. Comme moi, réfléchit-elle.

D'abord moi, et maintenant elle.

A table, Boulet joue avec son verre – il a bu, ça se voit – et il continue de raconter une histoire que tout le monde écoute avec un grand intérêt.

— C'était notre meilleur pilote, un homme complètement fou. Quand il venait en permission à Paris, le soir, il sortait en voiture et dès qu'il apercevait un agent, que ce soit sur le trottoir, sous une porte cochère, n'importe où, il fonçait sur lui, l'écrasait et repartait à la recherche d'une nouvelle victime. Tout Paris était au courant de cette chasse nocturne à l'agent, mais il n'y avait rien à faire.

— C'était un fou ou un communiste ? s'informe Mme Huchet.

— Oh, non ! Il était d'une excellente famille. Mais il trouvait que tous les hommes auraient dû être au front. "Des gardiens de paix en temps de guerre ! s'écriait-il. Dites plutôt des embusqués."

— C'est facile à dire, intervient Huchet. Et qui donc aurait maintenu l'ordre à l'arrière ? La tâche de la police était délicate et souvent plus difficile que celle des combattants. On oublie trop ce que la conduite des agents a d'héroïque et de socialement utile.

— Très juste, observe Mme Lacassagne. J'ai lu l'autre jour qu'à Alfortville – ou peut-être à Villejuif – un agent est monté sur le toit pour arracher un drapeau rouge frappé de la faucille et du marteau, qui était enroulé dans des fils à haute tension. Je dois dire qu'il fut applaudi par les témoins et félicité de son geste par le commissaire.

— Mais oui, mais oui, c'est clair, grommelle Huchet. Ces hommes risquent leur vie tous les jours.

Eric entend la voix de Ginette qui éclate soudain, plus forte que les autres et tellement jeune que tout le monde la regarde.

— Maman, dit-elle, et celui qui a fixé le drapeau aux fils, lui aussi risquait sa vie.

— A coup sûr un ouvrier électricien. Ces gens ont l'habitude.

— Au fond, dit Mme Huchet, nous ne savons de Paris que ce que nous voyons.

Irma songeait à Mainmorte. Elle n'y était jamais allée, ne s'était pas demandé si elle y avait encore de la famille. Anxionnaz s'était chargé de prendre des renseignements. La boulangerie des grands-parents n'existait plus, mais il y avait toujours une grand-tante, trois cousins de sa mère et une cousine mariée. Elle avait leurs noms : Mlle Alloz, la grand-tante, qui portait le nom de jeune fille de Mme Androuet, Jacques et René Sicard, Pierre Gras et Mme Labrouette, née Gras.

Qu'allait-elle leur dire ? Elle chercha des expressions simples, des mots qu'elle n'employait jamais et qui lui semblaient convenir à des paysans. Des proverbes, peut-être.

Dans la gare déserte, elle attendit une heure l'autocar qui devait l'emmener à Mainmorte.

Elle n'avait prévenu personne de son arrivée, embarrassée, ne sachant si elle ne vexerait pas ses cousins en descendant à l'hôtel. Il y en avait deux, sur la grand-place, se faisant vis-à-vis, le Commerce et le Duc de Mainmorte. Irma décida de prendre une chambre, quitte à déménager par la suite : elle avait envie de se débarbouiller. Elle s'aperçut qu'elle avait oublié sa crème, se promit d'en acheter plus tard.

Lorsqu'elle eut terminé sa toilette, il était midi.

J'irai chercher de la crème, je me promènerai un peu, je reviendrai manger à l'hôtel et, à deux heures, j'irai chez ma tante. Elle se sentit soulagée de s'être accordé un répit.

Quarante-deux ans s'étaient écoulés depuis le jour où le ministre des Travaux publics était venu à

Mainmorte pour inaugurer un monument, prononcer un discours et précipiter le plus insignifiant de ses attachés dans les bras d'une beauté sarrasine. Mainmorte était alors un grand bourg, riche et orgueilleux de la splendeur de ses filles, de l'assiduité de sa clientèle paysanne qui venait de vingt lieues à la ronde se fournir en épicerie, en quincaillerie, en mercerie.

En 1931, Mainmorte ne comptait plus que six cents habitants : des vieillards et des gosses. Irma fut étonnée d'y trouver tant d'épiceries, elle en compta huit dans une seule rue, toutes pareilles, avec leurs carreaux poussiéreux derrière lesquels s'égaillaient des bocaux avec des boules de gomme, des aiguilles à tricoter, des paquets de chicorée, des sachets de semences et des pelotes de laine noire et bleu marine. Des autocars sillonnaient la région, en une heure ils vous menaient à Digne, à Draguignan : Mainmorte avait perdu sa clientèle comme elle perdait ses enfants.

Dans les ruelles en coude, collées sur les vieilles portes de bois, lourdes, épaisses, criblées de gros clous à tête carrée, avec un heurtoir en forme de main, s'étalaient les petites affiches blanches des ventes par adjudication de pièces de terre bordées au nord et au midi, au levant et au couchant, par d'autres pièces de terre, déjà vendues ou à vendre.

Irma passa devant la ruine de la tour des ducs de Mainmorte, déboucha sur la rivière, un torrent tout en pierres et en bouillons blancs. Des vieilles femmes battaient du linge ; des draps et des nappes étaient étendus à sécher sur l'herbe, sous la surveillance de Jésus de Nazareth, roi de Judée, cloué sur une croix de bois grandeur nature. Irma revint sur ses pas, croisa un troupeau de fillettes, avec des faveurs rouges dans les cheveux, qui la saluèrent d'un :

— B'jour, madame !

C'était le jeu le plus populaire de la semaine.

Elle retrouva la grand-rue, passa devant une nouvelle épicerie dont l'enseigne promettait "tabac et poudre", et entra chez le pharmacien. Il n'avait pas la marque qu'elle lui demanda, mais lui offrit une crème de sa composition. Il prit un pot pansu et alla chercher une carte à jouer pour puiser la crème.

— On en use beaucoup en pharmacie, expliqua-t-il d'une voix un peu enrouée d'homme qui n'a pas souvent l'occasion de parler. Nous les achetons directement à la manufacture, sept francs cinquante le kilo de cartes manquées. On n'a rien trouvé pour les remplacer.

— Sept francs cinquante le kilo, répéta Irma.

— Mais on reçoit toujours les mêmes cartes, impossible de constituer un jeu.

Il jeta un deux de trèfle imprégné de crème.

Irma poussa jusqu'à la grand-place, plantée de platanes, cœur de Mainmorte qui battait encore faiblement.

Devant les maisons, sur les chaises de paille, des vieillards étaient assis, solitaires, droits, en chapeau, leurs mains noueuses posées sur une canne, ou des vieilles chauves et barbichues qui portaient sur l'occiput ou sur la nuque un minuscule chignon roulé en boule et dur comme fer. Elles tricotaient des bas noirs et, en arrivant au bout de la rangée, prenaient l'aiguille libre pour se gratter la tête ou se l'enfonçaient dans le chignon pour dire quelques mots. Derrière les vieux, des chiens bâtards dormaient, affalés sur les essuie-pieds et confondus avec eux.

Irma s'arrêta devant un petit buste de Marianne, écaillé, rouillé, perdu dans un sourire béat. Sur le socle, que des générations de chiens avaient choisi pour cible de leur correspondance amoureuse, elle déchiffra : "A la gloire de la Révolution française. 1789-1889." Elle ne se douta pas qu'elle devait sa vie au centenaire de cet événement.

Elle se promena, rencontrant d'autres vieillards,

d'autres chiens, et soudain, au coin d'une rue ou encadrée dans une fenêtre, une fillette, enfant encore et déjà femme, aux yeux fendus en amande, aux lourds cheveux bleus à force d'être noirs, qui rappelait à Irma sa mère et sa fille : la goutte de sang sarrasin poursuivait sa course vagabonde à travers les veines mortemanaises.

Enfin, elle retourna à l'hôtel, se fit indiquer l'adresse de sa grand-tante. Mlle Alloz habitait, près de la tour des ducs de Mainmorte, une maisonnette à étage. Irma souleva le heurtoir qui retomba avec fracas sur la porte de bois cloutée. Il y eut un remue-ménage au premier, une fenêtre s'ouvrit, et une vieille femme au teint blafard que soulignaient des sourcils épais et noirs, dit :

— C'est pourquoi ?

— Est-ce que Mlle Alloz est là ?

— Que désirez-vous ? insista la vieille.

— Je viens la voir pour une affaire personnelle, dit prudemment Irma.

La bonne femme se décida.

— Entrez, c'est ouvert.

La vieille attendait sur le palier.

— Je suis Mlle Alloz, dit-elle avec vanité. Que désirez-vous ?

A quatre-vingt-onze ans, Mlle Alloz était la plus âgée des habitants de Mainmorte et sans doute la plus illustre. Née sous Louis-Philippe, elle avait traversé le Second Empire, deux Républiques, deux révolutions et trois guerres, d'un trottinement menu de souris qui faisait songer à Amicie. Petite, chétive, souvent malade, elle avait assisté au mariage de ses sœurs, de ses cousines, de ses amies, sans arriver à trouver, dans une contrée aux filles fortes et fessues, un homme qui veuille s'embarrasser d'une femmelette incapable d'assurer les travaux des champs et du ménage, de porter des enfants, et qui était sur le point de passer à chaque retour de la mauvaise saison. Mlle Alloz se rendait utile à la petite semaine, aujourd'hui gardant un bébé, demain raccommodant du linge, rapportant le soir, chez elle, les restes d'une soupe froide, un vieux jupon à jeter, s'alitant tous les six mois, tantôt fourbue de rhumatismes, tantôt s'en allant de la poitrine, mais se relevant toujours. Ses neveux et nièces grandissaient, à leur tour ils se mariaient et avaient des enfants. Mlle Alloz trottinait, gardant les bébés de ceux qu'elle avait gardés vingt ans plus tôt, veillant les morts. Parfois elle disparaissait, on ne s'en apercevait qu'à son retour pour dire :

— Tiens, elle a encore été malade.

Les filles fortes et fessues qui avaient grandi avec elle reposaient depuis longtemps au cimetière, où leurs enfants étaient venus les rejoindre, et elle trottait toujours, menue, sèche, se vidant de son peu de sang à mesure que les années passaient, semant des dents tout au long de la longue Troisième République, les sourcils ressortant toujours plus noirs dans son visage toujours plus blême.

Après la guerre, Mainmorte eut un maire qui avait essayé de lutter contre l'engourdissement où se mourait le bourg. Il organisa des fêtes, écrivit aux journaux de la région pour rappeler le passé de la commune en s'étendant sur l'histoire du duc Antoine Ier et du harem qu'il avait ramené de la Terre Sainte, institua des prix pour les plus jeunes mariés de l'année, pour le doyen des habitants.

— Va chercher le registre des naissances, dit-il à sa vieille bonne.

Alors on découvrit qu'une Mlle Alloz était, et de beaucoup, la doyenne des Mortemanais.

— Mais qui est-ce ? demanda le maire.

— Ah ! que nous sommes bêtes, s'exclama le premier adjoint, mais c'est tante Berthe, voyons !

Ces messieurs se récrièrent : elle les avait tous bercés, enfants, et leurs parents de même.

Ils allèrent la chercher en délégation. Elle eut peur, ne comprit pas : jamais personne ne lui avait adressé la parole, sinon pour la charger d'une commission. Le maire, décidé à frapper un grand coup, envoya des notes aux journaux. La fête eut lieu en présence de tout Mainmorte.

Le sous-préfet, qui avait des lettres, parla de "la servante au grand cœur", au milieu de l'étonnement général. On riait, on s'extasiait : cette brave tante Berthe, elle avait bien mérité ces honneurs.

Assise sur l'estrade, entre le sous-préfet et le maire, elle essayait de se faire encore plus petite, en promenant un regard inquiet et méfiant sur la foule des enfants et petits-enfants qu'elle avait aidé à torcher et endormir. Elle écouta les discours avec plaisir et applaudit comme les autres, oubliant un peu que la Mlle Alloz dont on parlait, c'était elle, tellement elle était habituée à s'entendre appeler tante Berthe. Sur son visage blanc, les sourcils noirs se relevaient en accents circonflexes. La compréhension lui vint par la suite. Un dimanche, à l'église, elle alla se placer au premier rang, en bousculant ses voisins. On nota que sa démarche avait changé : elle ne trottinait plus. Elle annonça :

— J'aurai bientôt quatre-vingt-quinze ans.

— Vous nous enterrerez tous, tante Berthe, s'écriait son interlocuteur avec un gros rire affecté.

— Ma foi, oui, disait-elle, enchantée, convaincue de son importance.

Bientôt elle se mêla de donner des conseils, voulut avoir le dernier mot, s'invita aux repas.

— Tu me feras une soupe au poulet, disait-elle, découvrant à son âge la gourmandise, et elle s'emportait si le poulet n'était pas assez tendre. Décidée à devenir centenaire, doyenne des Français, elle allait promener son triomphe jusqu'au cimetière, sur les tombes de ses compagnes de jeunesse.

— J'ai au-delà de quatre-vingt-seize ans, disait-elle, ne tenant à la vie que par la vanité de sa décrépitude et par ses papilles, exigeant qu'on l'appelle Mlle Alloz.

Aussi ne fut-elle pas étonnée de voir la Parisienne, arrivée par l'autocar du matin, et qui s'était promenée dans Mainmorte pendant deux heures d'horloge. Elle éprouva de la déception en apprenant que la visiteuse était la fille de Tine, elle-même fille de sa cousine Jeanne, forte et fessue, à qui elle avait pardonné, près de cinquante ans plus tôt, son mariage avec le boulanger, un cousin, lui aussi. A présent, ils ont tous besoin de moi, décida-t-elle, et pour bien asseoir ses droits, elle montra à Irma, au mur, une coupure jaunie du journal de Barcelonnette qui reproduisait le discours du sous-préfet à sa fête.

— J'aurai quatre-vingt-dix-huit ans dans six mois moins une semaine, dit-elle en observant sa visiteuse à la dérobée pour voir l'effet que produiraient ses paroles.

— Vraiment, dit Irma, mais son ton manquait de chaleur. Elle se repentait d'avoir commencé ses visites par l'antique demoiselle qu'elle jugea gâteuse et dénuée de toute espèce d'importance.

— Tu te plais à Paris ? s'informa Mlle Alloz, se préparant à passer au seul sujet qui lui tenait à cœur. Elle ne pensa pas à demander des nouvelles de Tine.

— Oh, vous savez, les grandes villes, dit Irma. Et aussitôt : Oncle Sicard, savez-vous où il habite ?

— Et qu'est-ce que tu as à me dire ?

— C'est au sujet de maman. Je voulais en parler à mes oncles.

Du coup, la vieille éprouva une immense déception, comme les jours où le pot-au-feu de ses hôtes ne contenait pas de poulet : ce n'est donc pas pour elle que la petite était venue à Mainmorte.

Se raidissant, elle dit d'un ton sec :

— Eh bien ! va voir tes oncles, puisque tu viens pour ça.

Elle jugea Irma insolente et lui indiqua un chemin boueux où la Parisienne ne manquerait pas de crotter ses souliers d'un luxe outrageant.

A sept heures du soir, Irma, les nerfs à fleur de peau d'avoir prononcé tant de paroles inutiles, sortait de chez les fils Labrouette, après avoir vu tous ses autres parents et pris avec eux rendez-vous pour le soir même.

En arrivant chez Pierre Gras, un homme sec à la nuque rouge labourée de rides, Irma fut surprise d'y trouver Mlle Alloz, installée dans le meilleur fauteuil ; faisant mine de ne pas apercevoir la visiteuse, la vieille continua de chapitrer Mme Gras, une femme décoiffée et silencieuse qui avait l'air de chercher quelque objet perdu. Les deux Sicard, René et Jacques, étaient déjà là, le premier vieux garçon, l'autre accompagné de sa femme, petite, forte, un sourire obséquieux collé sur un visage rond et aplati. Les frères Labrouette arrivèrent en retard, s'excusant : ils avaient eu un cheval à ferrer et, au dernier moment, un automobiliste égaré les avait obligés à rouvrir la pompe à essence ; avec tous ces clients, on ne répondait pas de soi.

Irma, qui s'était de nouveau crottée pour venir jusque-là, aurait préféré se trouver devant le conseil d'administration le plus hostile plutôt qu'avec ces gens qui la tutoyaient et l'appelaient "ma cousine". Elle n'expédia pas l'affaire tambour battant, ayant compris lors de ses visites de l'après-midi que c'eût été contraire aux conventions. Elle donna des nouvelles de Ginette – et comment va ta fille ? –, de l'Exposition coloniale qui se préparait, de l'enterrement du maréchal Joffre. Elle affecta même de s'adresser à Mlle Alloz, mais celle-ci fit la sourde, puis cria :

— Parle plus fort, je n'entends pas !

Irma se renseigna sur la fille de Jacques Sicard, établie à Digne, dont elle avait appris l'existence trois heures plus tôt – un beau jour, songea-t-elle, elle va me tomber sur la tête –, et dit :

— Si jamais elle vient à Paris, ma porte lui est toujours ouverte.

Mlle Alloz poussa un ha ! de mépris, tandis que Mme Sicard, sa figure plate faussée d'un sourire, ne lâchait plus des yeux Irma, la trouvant distinguée.

Au bout de trois grands quarts d'heure, lorsqu'il fut bien établi qu'ils ne s'étaient tous réunis que pour passer la soirée, et alors qu'Irma suffoquait de colère, Gras jeta d'un air indifférent :

— Alors, c'est bien vrai que la pauvre Tine s'en va de la tête ?

Tout le monde observa la Parisienne. Seule Mlle Alloz poussa un autre ha ! pour marquer sa totale désapprobation.

Irma dut recommencer son récit pour la cinquième fois. Les Labrouette l'approuvèrent tout de suite : lorsqu'on était dans les affaires, il valait mieux marcher avec son siècle, s'agrandir ou disparaître. Ils échangeaient des clins d'œil, des bourrades, le frère forgeron citait en exemple son frère mécanicien, et celui-ci expliquait ses projets, sûr de lui, oubliant qu'il ne s'agissait pas de ses affaires. Mais les autres s'interrogeaient, méfiants. Ils demandaient de nouveaux détails, voulaient savoir pourquoi Irma ne s'était pas remariée, la questionnaient sur son personnel.

— Elle n'est pas dépensière, au moins, ta mère ? demanda Jacques Sicard.

— Ça, non, dit amèrement Irma.

Cette réponse faillit tout gâter : une tête qui est demeurée près du sac ne peut pas être fêlée. Irma dut recommencer ses explications.

— Puisque notre cousine est sûre de son fait, dit Mme Sicard, et elle chuchota longuement à l'oreille de son mari. Il semblait fléchir. Alors, son frère, le bricoleur, avec un regard de mépris pour sa belle-sœur, dit que tout ça regardait les médecins ; quant à lui, il ne voyait Dieu pas pourquoi Tine était folle, si elle l'était il pouvait bien l'être aussi, lui qui passait son temps à inventer des pièges à oiseaux et à construire des épouvantails munis de mécanique.

— Tout le pays sait que tu es timbré, lui jeta sa belle-sœur, et elle se fendit en un sourire comme pour s'excuser du manque d'éducation de son beau-frère. Mais les autres hésitaient.

Mme Gras furetait dans les coins, silencieuse, avec des mouvements brusques de chauve-souris. Irma expliqua de nouveau : il ne s'agissait pas d'enfermer sa mère dans un asile, bien au contraire : la loi était explicite sur ce point, la fortune de l'interdit devait servir à adoucir son sort. Elle cita même quelques articles qu'elle avait appris par cœur. On avait dit que ça regardait les médecins : quant à elle, elle était persuadée que c'était avant tout une affaire de famille, moins on y mêlerait d'étrangers, mieux ça vaudrait, ils n'étaient bons qu'à vous prendre des honoraires, enfin, elle était femme, seule, elle avait considéré de son devoir de demander conseil et aide à ses parents, à des hommes. Le dernier argument coûta cher à son amour-propre, mais, décidée d'en finir, elle s'adressa même à Mme Sicard, l'invoqua en témoin de l'importance du jugement masculin.

L'autre, flattée, conquise, se remit à chuchoter avec son mari.

L'oncle bricoleur annonça à tue-tête :

— Oh ! moi, vous savez, ce que j'en dis, c'est pour parler, peut-être bien que nous sommes tous fous.

Irma croyait les avoir convaincus.

Alors, Mlle Alloz, qui ne manifestait qu'une désapprobation englobant tous les moins de cent ans, sapprobation englobant tous les moins de cent ans, se mit à parler, et Irma comprit que sa surdité avait été feinte. Elle dit qu'elle se souvenait bien de Tine, la fille de son cousin Alloz, le boulanger, et que ce n'était pas parce qu'elle n'était plus jeune fille qu'il fallait la faire passer pour folle. Dans les paroles d'Irma, elle sentait un complot contre la vieillesse, un complot subtilement dirigé contre elle-même. Elle brusqua son attaque, apprit aux autres que la Parisienne était descendue à l'hôtel et que ça ne servait à rien de faire la fière, que sitôt arrivée, elle s'était précipitée chez le pharmacien pour acheter Dieu sait quoi, qu'elle était une joueuse de cartes enragée. Pendant qu'Irma admirait le service de renseignements de la vieille demoiselle et se reprochait d'avoir parlé au pharmacien, Labrouette le mécanicien dit en souriant qu'il jouait aux cartes, lui aussi. Mlle Alloz jeta un : "On te parle pas, mon garçon !" qui le cloua sur sa chaise.

Irma ne prit pas au sérieux le radotage de sa grand-tante, mais elle s'aperçut que les autres étaient impressionnés. Je sais faire culbuter un malin comme Malphilâtre, se dit-elle, et je ne peux pas arriver à bout d'une paysanne gâteuse. Elle se fit respectueuse, flatta Mlle Alloz. La vieille demoiselle s'était renfermée dans sa prétendue surdité. Alors, Irma :

— Ce n'est pas moi qui vous demande de venir à Paris, c'est le juge de paix qui présidera le conseil de famille. Vous vous prononcerez en toute liberté, je promets d'avance de me soumettre à votre décision. Cette affaire est très douloureuse pour moi, après tout, il y va de ma mère. Vous viendrez à Paris – bien entendu, les frais sont à ma charge – et vous jugerez vous-mêmes.

Ce fut un argument décisif : aucun n'avait jamais visité la capitale. Puisque la Parisienne ne leur demandait plus de prononcer l'interdiction à tout prix, il serait stupide de refuser. Seule, Mlle Alloz laissa entendre qu'elle ne répondait de rien et entendait dégager sa responsabilité : tant pis pour ceux qui ne l'auraient pas écoutée ! Mais on ne l'écouta pas : la tentation d'un voyage gratuit était trop forte.

Il y eut même une nouvelle difficulté lorsque les frères Labrouette dirent qu'ils ne pouvaient pas quitter leur garage-forge tous les deux. Finalement, il fut décidé que les deux Sicard, Gras et Pierre Labrouette se rendraient à Paris, quant au frère de celui-ci, il enverrait un pouvoir.

Le lendemain, Irma quitta Mainmorte. Toute la famille vint l'accompagner à l'arrêt de l'autocar. Il arriva, gris et bleu, à moitié vide, avec le même chauffeur qu'à l'aller. Il y eut un gros bruit de baisers, des cris :

— Au revoir à Paris.

Irma monta sur le marchepied. Mme Sicard, déchirée d'un sourire, se jeta vers elle.

— Encore une caresse, ma cousine.

Elles s'embrassèrent, et l'autocar démarra avec son bruit de ferraille, passa en première vitesse devant le buste de Marianne, enfila la grand-rue, avec ses épiceries désertes, à l'entrée barrée de chiens endormis, et roula sur la route en accélérant l'allure.

Le jour suivant, Mme Androuet faisait signe à sa cadette de la suivre pour lui chuchoter :

— Amicie, les cousins qu'Irma a été chercher à Mainmorte sont arrivés.

— Je sais.

— Tu déjeunes avec eux : n'oublie pas de payer.

Amicie, narquoise :

— Et je leur raconte qu'Irma leur a menti ?

Tine hésita, finit par répondre :

— Tu essaies.

Roger est toujours en train de remplir les assiettes et les verres. Personne n'a tant bu et mangé depuis l'année précédente, s'il a déjà assisté à cette réception, sinon, jamais dans la vie.

Germaine, que Roger sert, murmure :

— Comment que ça s'appelle ?

Lui, à voix basse :

— Des truffes.

Elle, perplexe, méfiante :

— Des truffes ?

Eric cherche le regard de Ginette, le trouve, sourit, et Ginette lui rend son sourire. C'est difficile. S'ils étaient assis face à face ils pourraient échanger des mots sans les prononcer, juste en remuant la bouche. Des paroles simples, isolées : une plaisanterie, un souvenir commun, une mise en garde. Il suffit d'entrouvrir les lèvres et glisser lentement la langue d'un côté à l'autre pour se faire croire qu'on s'étreint et qu'on s'embrasse. Mais puisqu'ils sont installés des deux côtés opposés de la grande table, de biais, il leur est impossible de communiquer d'aucune façon ; ils doivent éviter d'échanger des regards, de peur d'attirer l'attention, ils ne sont à même que de se voir.

La maîtresse de maison raconte :

— On voulait absolument lui apprendre à jouer du violon. Elle a étudié pendant des années avec les meilleurs professeurs de Paris. Elle travaillait des heures entières tous les jours. Ses études ont coûté une fortune, sans parler du temps perdu. Et on finit par s'apercevoir qu'elle avait une belle voix, mais vraiment, une voix exceptionnelle. Seulement il était trop tard, elle était déjà mariée.

Ma femme aussi, elle savait jouer du piano, se dit Tricot, mais que vient faire la musique avec le mariage ?

Le silence s'installe. Du haut de son clocher, une

église sonne minuit. Tout le monde a prêté l'oreille. Lundi commence, donc le procès.

La requête en interdiction, se remémore Mme Lacassagne, avec offre de produire les témoins et les pièces.

Elle garde prudemment le silence.

Toute la table regarde Mme Androuet. Elle s'en rend compte, semble embarrassée.

Boulet se lève, jette :

— A notre hôtesse !

Il vide son verre d'un seul coup.

Tout le monde suit son exemple : des gorgées plus modestes.

La maîtresse de maison chuchote à voix basse mais intelligible :

— Je présente peu d'intérêt : je ne suis que donatrice.

Entre-temps, Amicie est entrée et, les yeux sur sa sœur aînée, se tient dans un coin sans rien dire et sans boire : elle ne boit jamais.

La compagnie se rassied.

Huchet glisse :

— Chère madame, vous avez en vue votre testament ?

Elle hoche la tête de gauche à droite, explique :

— Il s'agit de donation entre vifs.

Mme Lacassagne s'inquiète, cherche à comprendre, préfère garder le silence.

Sa mère sourit.

— Moi aussi, j'ai mis du temps à étudier le problème. Donateur, donatrice, c'est facile : moi, par exemple. Mais donataire ?

Boulet fait signe à Roger de remplir son verre, et Mme Huchet rigole en répétant :

— Donataire, donataire. Ça veut dire la même chose que donateur, mais au féminin : il s'agit d'une femme.

— J'ai pensé pareil. Eh bien ! imaginez-vous,

c'est le contraire. J'ai fini par l'apprendre. Donataire, c'est la personne qui encaisse. Vous voyez, moi je donne et elle reçoit.

Germaine observe Huchet et sourit à peine.

Lui, il s'informe, défiant, soupçonneux :

— Alors, la donation ?

Mme Androuet a un petit geste de la main :

— Il y a longtemps que c'est fait.

Irma semble alarmée. Huchet insiste :

— Un souvenir ?

— Mettons que c'est modeste.

— Peu de chose ?

— Une bagatelle.

Une fois de plus, elle a l'air d'hésiter avant de murmurer :

— Je ne suis pas si riche.

— C'est-à-dire ?

— Ma fortune...

Elle s'interrompt. Tout le monde la dévisage. Ginette dévore des yeux sa grand-mère.

— J'en ai fait cadeau, raconte Tine. Cela fait longtemps que donatrice et donataire, nous avons signé l'accord. Quelle qu'elle soit, ma fortune toute entière appartient à ma petite-fille.

Un cri, deux ou trois exclamations et, étouffant toutes les voix, l'éclat de rire triomphant de Mme Androuet.

Ginette sourit à Eric.

— Hé ben ! dit-elle.

Il dit :

— Tu parles !

Et tous les deux s'esclaffent.

L'année suivante, c'est toujours dimanche que le dîner a lieu. Entre-temps, Mme Androuet a pris sa retraite en forçant Irma à plier bagage. C'est donc Ginette, la plus puissante de la famille, qui dirige l'entreprise et préside au repas. La plupart des employés se retrouvent autour de la table, sauf Eric qui a quitté l'établissement.

La cuisine bourgeoise continue.

Achevé d'imprimer
en février 1988
à l'Imprimerie
des Presses Universitaires
de France, à Vendôme,
pour le compte des éditions
ACTES SUD
Le Méjan
13200 Arles

DÉPOT LÉGAL
1re édition : mars 1988
Imp. n° 33 794

EXTRAIT DU CATALOGUE

ROMANESQUES

Shahnon Ahmad
LE RIZ

Richard Aldington
MORT D'UN HÉROS

Mkrtitch Armen
LA FONTAINE D'HÉGHNAR

Jacques Audiberti
LA FIN DU MONDE et autres récits

Roland Ausset
LE ROMAN D'ABOUKIR

Paul Auster
CITÉ DE VERRE

Ingeborg Bachmann
FRANZA
REQUIEM POUR FANNY GOLDMANN

Baptiste-Marrey
SMS OU L'AUTOMNE D'UNE PASSION
LES PAPIERS DE WALTER JONAS
Prix Méridien 1985
Grand Prix du Roman de la Société des Gens de lettres, 1985
ELVIRA

Christiane Baroche
PLAISIRS AMERS
UN SOIR, J'INVENTERAI LE SOIR...

Nina Berberova
L'ACCOMPAGNATRICE
LE LAQUAIS ET LA PUTAIN
ASTACHEV A PARIS

Agustina Bessa Luís
FANNY OWEN

Camillo Boito
SENSO (Carnet secret de la comtesse Livia)

Arrigo Boito
LE FOU NOIR

Johan Borgen
LILLELORD

Onelio Jorge Cardoso
LE FIL ET LA CORDE

Camilo Castelo Branco
AMOUR DE PERDITION

Robin Chapman
LE JOURNAL DE LA DUCHESSE

Jean-Paul Chavent
VIOLET OU LE NOUVEAU MONDE
Prix du Livre Franc

Hugo Claus
HONTE

Haroldo Conti
LA BALLADE DU PEUPLIER CAROLIN

Anne-Marie C. Damamme
UN PARFUM DE TABAC BLOND

Michèle Delaunay
L'AMBIGUÏTÉ EST LE DERNIER PLAISIR

Yves-William Delzenne
UN AMOUR DE FIN DU MONDE

François Depatie
MAGDA LA RIVIÈRE

Jacques Drillon
LE LIVRE DES REGRETS

André Dubus
JOLIE, LA FILLE !
SE TROUVER UNE FEMME EN AMÉRIQUE

Per Olov Enquist
L'EXTRADITION DES BALTES
L'ANGE DÉCHU

Per Gunnar Evander
LES INTRUS

Alain Ferry
LE DEVOIR DE RÉDACTION

Ivo Fleischmann
HISTOIRE DE JEAN

Theodor Fontane
SCHACH VON WUTHENOW

Oswaldo França Junior
JORGE LE CAMIONNEUR

Luisa Futoransky
CHINOIS, CHINOISERIES

Paul Gadenne
BALEINE
BAL A ESPELETTE
SCÈNES DANS LE CHATEAU

Eduardo Galeano
VAGAMUNDO

Juan Gil-Albert
VALENTIN

José-Luis Gonzalez
DOMINGA, L'HOMME ET LA MORT

Marie-Josèphe Guers
LA FEMME INACHEVÉE

Zsolt Harsanyí
LA VIE DE LISZT EST UN ROMAN

Marlen Haushofer
LE MUR INVISIBLE
NOUS AVONS TUÉ STELLA
DANS LA MANSARDE

Michèle Hénin
UN TABLIER ROUGE

Alice Hoffman
LA NUIT DU LOUP

Tove Jansson
L'HONNÊTE TRICHEUSE

Raymond Jean
UN FANTASME DE BELLA B. et autres récits
Bourse Goncourt de la Nouvelle 83
LA LECTRICE

Reidar Jönsson
MA VIE DE CHIEN

Marie-Luise Kaschnitz
L'OISEAU ROC

Jean Kéhayan et Didier Brousse
NASTIA

S. Othman Kelantan
LE VENT DU NORD-EST

Eduard von Keyserling
ÉTÉ BRÛLANT
VERSANT SUD

Gyula Krudy
SINDBAD OU LA NOSTALGIE

Horst Krüger
UN BON ALLEMAND

Menyhért Lakatos
COULEUR DE FUMÉE

Ursula Le Guin
LOIN, TRÈS LOIN DE TOUT

Torgny Lindgren
LE CHEMIN DU SERPENT
BETHSABÉE
Prix Fémina étranger 1986
LA BEAUTÉ DE MÉRAB

Ivar Lo-Johansson
LA TOMBE DU BŒUF et autres récits
HISTOIRE D'UN CHEVAL et autres récits

Lucien / Perrot d'Ablancourt
HISTOIRE VÉRITABLE

Veijo Meri
L'ÉTÉ DU DÉSERTEUR

Prosper Mérimée
CARMEN

Maria Messina
LA MAISON DANS L'IMPASSE
LA MAISON PATERNELLE

Ivo Michiels
FEMME ENTRE CHIEN ET LOUP

Harry Mulisch
DEUX FEMMES

Stratis Myrivilis
LE GRAND APPAREILLAGE et autres récits

Hugh Nissenson
L'ARBRE DE VIE

Paul Nizon
L'ANNÉE DE L'AMOUR
STOLZ

Hubert Nyssen
ÉLÉONORE A DRESDE
Prix Valery Larbaud 84
Prix Franz Hellens 84

Liam O'Flaherty
L'EXTASE D'ANGUS

Marian Pankowski
LES PÈLERINS D'UTÉRIE
LE GARS DE LVOV

Cristina Peri-Rossi
LE SOIR DU DINOSAURE

Brigitte Peskine
LE VENTRILOQUE

Juliette Peyret
HÔTEL DE LA RECONNAISSANCE

Elena Poniatowska
CHER DIEGO, QUIELA T'EMBRASSE

René Pons
AU JARDIN DES DÉLICES
ET PEUT-ÊTRE SUFFIT-IL DE...
LE CHEVALIER IMMOBILE

Vladimir Pozner
LES BRUMES DE SAN FRANCISCO
LE MORS AUX DENTS
LE FOND DES ORMES

Claude Pujade-Renaud
LES ENFANTS DES AUTRES

Anne Rabinovitch
LES ÉTANGS DE VILLE-D'AVRAY

Karin Reschke
LA VOCATION DU BONHEUR
L'ESPACE D'UNE NUIT

Guy Rohou
MER BELLE A PEU AGITÉE
LE NAUFRAGÉ DE SAINT-LOUIS

Gerhard Roth
GRAND ANGLE

Norbert Rouland
LES LAURIERS DE CENDRE
SOLEILS BARBARES

André-Louis Rouquier
LES FRONTIÈRES NATURELLES

Rou-Shi
FÉVRIER

Adolf Rudnicki
DES GRENIERS ET DES CAVES

Paul Emilio Salles Gomes
P. COMME POLYDORE

Anton Shammas
ARABESQUES

Lotte Schwarz
LES MORTS DE JOHANNES et autres récits

Peter Seeberg
MINIMUM VITAL

Ramon J. Sender
L'EMPIRE D'UN HOMME

August Strindberg
DRAPEAUX NOIRS
MARIÉS

Elizabeth Tallent
LA VIE EST UN MUSÉE
INCONSTANCES

Nivaria Tejera
LE RAVIN
FUIR LA SPIRALE

Göran Tunström
L'ORATORIO DE NOËL

Giovanni Verga
DRAMES INTIMES

Anne Walter
LES RELATIONS D'INCERTITUDE

Herbjøg Wassmo
LA VÉRANDA AVEUGLE

Carl-Henning Wijkmark
LA DRAISINE
1962

Zhang Xinxin
SUR LA MÊME LIGNE D'HORIZON

Jean-Gabriel Zufferey
SUZANNE, QUELQUEFOIS